文库精粹

蔡元培（下）

蔡元培⊙著

陕西新华出版
太白文艺出版社·西安

哲　学

中国伦理学史

第三期　宋明理学时代

第九章　朱晦庵

小传　龟山一传而为罗豫章，再传而为李延平。三传而为朱晦庵。伊川之学派，于时大成焉。晦庵名熹，字元晦，一字仲晦，晦庵其自号也。其先徽州婺源人，父松，为尤溪尉，寓溪南，生熹。晚迁建阳之考亭，年十八，登进士，其后历主簿提举及提点刑狱等官，及历奉外祠。虽屡以伪学被劾，而讲习不辍。庆元六年卒。年七十一。高宗谥之曰文。理宗之世，追封信国公。门人黄幹状其行曰："其色庄，其言厉，其行舒而恭，其坐端而直。其闲居也，未明而起，深衣幅巾方履，拜家庙以及先圣。退而坐书室，案必正，书籍器用必整。其饮食也，羹食行列有定位，匙箸举措有定所。倦而休也，瞑目端坐。休而起也，整步徐行。中夜而寝，寤则拥衾而坐，或至达旦。威仪容止之则，自少至老，祁寒盛暑，造次颠沛，未尝须臾离也。"著书甚多，如大学、中庸章句或问，《论语集注》《孟子集注》《易本义》《诗集传》《太极图解》《通书解》《正蒙解》《近思录》，及其文集、语录，皆有关于伦理学说者也。

理气　晦庵本伊川理气之辨，而以理当濂溪之太极，故曰：由其横于

万物之深底而见时,曰太极。由其与气相对而见时,曰理。又以形上、形下为理气之别,而谓其不可以时之前后论。曰:"理者,形而上之道,所以生万物之原理也。气者,形而下之器,率理而铸型之质料也。"又曰:"理非别为一物而存,存于气之中而已。"又曰:"有此理便有此气。"但理是本,于是又取横渠理一分殊之义,以为理一而气殊。曰万物统一于太极,而物物各具一太极。曰:"物物虽各有理,而总只是一理。"曰:理虽无差别,而气有种种之别,有清爽者,有昏浊者,难以一一枚举。曰:此即万物之所以差别,然一一无不有太极,其状即如宝珠之在水中。在圣贤之中,如在清水中,其精光自然发现。其在至愚不肖之中,如在浊水中,非澄去泥沙,其光不可见也。

性 由理气之辨,而演绎之以言性,于是取横渠之说,而立本然之性与气质之性之别。本然之性,纯理也,无差别者也。气质之性,则因所禀之气之清浊,而不能无偏。乃又本汉儒五行五德相配之说,以证明之。曰:"得木气重者,恻隐之心常多,而羞恶辞让是非之心,为之塞而不得发。得金气重者,羞恶之心常多,而恻隐辞让是非之心,为之塞而不得发。火、水亦然。故气质之性完全者,与阴阳合德,五性全备而中正,圣人是也。"然彼又以本然之性与气质之性密接,故曰:"气质之心,虽是形体,然无形质,则本然之性无所以安置自己之地位,如一勺之水,非有物盛之,则水无所归著。"是以论气质之性,势不得不杂理与气言之。

心情欲 伊川曰:"在人为性,主于身为心。"晦庵亦取其义,而又取横渠之义以为心性情之统名,故曰:"心,统性情者也。由心之方面见之,心者,寂然不动。由情之方面见之,感而遂动。"又曰:'心之未动时,性也。心之已动时,情也。欲是由情发来者,而欲有善恶。"又曰:"心如水,性犹水之静,情则水之流,欲则水之波澜,但波澜有好底,有不好底。如我欲仁,是欲之好底。欲之不好底,则一向奔驰出去,若波涛翻浪。如是,则情为性之附属物,而欲则又为情之附属物。"故彼以恻隐等四端为性,以喜怒等七者为情,而谓七情由四端发,如哀惧发自恻隐,怒恶发自羞恶之类。然又谓不可分七情以配四端,七情自贯通四端云。

人心道心 既以心为性情之统名,则心之有理气两方面,与性同。于是引以说古书之道心人心,以发于理者为道心,而发于气者为人心。故曰:"道心是义理上发出来底,人心是人身上发出来底。虽圣人不能无人心，如饥食渴饮之类。虽小人不能无道心，如恻隐之心是。"又谓圣人之教，在以道心为一身之主宰，使人心屈从其命令。如人心者，决不得灭却，亦不可灭却者也。

穷理 晦庵言修为之法，第一在穷理，穷理即大学所谓格物致知也。故曰："格物十事，格得其九通透，即一事未通透，不妨。一事只格得九分，一分不通透，最不可。须穷到十分处。"至其言穷理之法，则全在读书。于是言读书之法曰："读书之法，在循序而渐进，熟读而精思。字求其训，句索其旨。未得于前，则不敢求其后，未通乎此，则不敢志乎彼。先须熟读，使其言皆若出于吾之口，继以精思，使其意皆若出于吾心。"

养心 至其言养心之法，曰，存夜气。本于孟子，谓夜气静时，即良心有光明之时。若当吾思念义理观察人伦之时，则夜气自然增长，良心愈放其光明来，于是辅之以静坐。静坐之说，本于李延平，延平言道理须是日中理会，夜里却去静坐思量，方始有得。其说本与存夜气相表里，故晦庵取之，而又为之界说曰："静坐非如坐禅入定，断绝思虑，只收敛此心，使毋走于烦思虑而已。此心湛然无事，自然专心，及其有事，随事应事，事已时复湛然。"由是又本程氏主一为敬之义而言专心，曰："心一有所用，则心有所主，只看如今。才读书，则心便主于读书；才写字，则心便主于写字。若是悠悠荡荡，未有不入于邪僻者。"

结论 宋之有晦庵，犹周之有孔子，皆吾族道德之集成者也。孔子以前，道德之理想，表著于言行而已。至孔子而始演述为学说。孔子以后，道德之学说，虽亦号折中孔子，而尚在乍离乍合之间，至晦庵而始以其所见之孔教，整齐而厘订之，使有一定之范围。盖孔子之道，在董仲舒时代，不过具有宗教之形式。而至朱晦庵时代，始确立宗教之威权也。晦庵学术，近以横渠、伊川为本，而附益之以濂溪、明道。远以荀卿为本，而用语则多取孟子。于是用以训释孔子之言，而成立有宋以后之孔教。彼于孔子以前之说，务以诂训沟通之，使无与孔教有所龃龉；于孔子以后之学说若人物，则一以孔教进退之。彼其研究之勤，著述之富，徒党之众，既为自昔儒者所不及。而其为说也，矫恶过于乐善，方外过于直内，独断过于怀疑，拘名义过于得实理，尊秩序过于求均衡，尚保守过于求革新，现在之和平过于未来之希望。此为古昔北方思想之嫡嗣，与吾族大多数之习惯性相投合，而尤便于有权势者之所利用，此其所以得凭借科举之势力而

盛行于明以后也。

第十章　陆象山

儒家之言，至朱晦庵而凝成为宗教，既具论于前章矣。顾世界之事，常不能有独而无对。故当朱学成立之始，而有陆象山。当朱学盛行之后，而有王阳明。虽其得社会信用，不及朱学之悠久，而当其发展之时，其势几足以倾朱学而有余焉。大抵朱学毗于横渠、伊川，而陆、王毗于濂溪、明道；朱学毗于荀，陆、王毗于孟。以周季之思潮比例之，朱学纯然为北方思想，而陆、王则毗于南方思想者也。

小传　陆象山，名九渊，字子静，自号存斋，金谿人。父名贺，象山其季子也。乾道八年，登进士第，历官至知荆门军，以绍熙三年卒，年五十四。嘉定十年，赐谥文安。象山三四岁时，尝问其父，天地何所穷际。及总角，闻人诵伊川之语，若被伤者，曰："伊川之言，何其不类孔子、孟子耶？"读古书至宇宙二字，解曰："四方上下为宇，往古来今曰宙。"忽大省，曰："宇宙内之事，乃己分内事，己分内事，乃宇宙内事。"又曰："宇宙便是吾心，吾心即是宇宙。东海有圣人出，此心同，此理同焉。西海有圣人出，此心同，此理同焉。南海、北海有圣人出，此心同，此理同焉。千百世之上，有圣人出，此心同，此理同焉。千百世之下，有圣人出，此心同，此理同焉。"淳熙间，自京师归，学者甚盛，每诣城邑，环坐二三百人，至不能容。寻结茅象山，学徒大集，案籍逾数千人。或劝著书，象山曰："六经注我，我注六经。"又曰："学苟知道，则六经皆我注脚也。"所著有《象山集》。

朱陆之论争　自朱、陆异派，及门互相诋諆。淳熙二年，东莱集江浙诸友于信州鹅湖寺以决之，既工莅会，象山、晦庵互相辨难，连日不能决。晦庵曰："人各有所见，不如取决于后世。"其后彼此通书，又互有冲突。其间关于太极图说者，大抵名义之异同，无关宏旨。至于伦理学说之异同，则晦庵之见，以为象山尊心，乃禅家余派，学者当先求圣贤之遗言于书中。而修身之法，自洒扫应对始。象山则以晦庵之学为逐末，以为学问之道，不在外而在内，不在古人之文字而在其精神，故尝诘晦庵以尧舜曾读何书焉。

心即理 象山不认有天理人欲与道心人心之别，故曰："心即理。"又曰："心一也，人安有二心。"又曰："天理人欲之分，论极有病，自《礼记》有此言，而后人袭之。记曰：人生而静，天之性也，感于物而动，性之欲也。若是，则动亦是，静亦是，岂有天理人欲之分？动若不是，则静亦不是，岂有动静之间哉？"彼以古书有人心唯危、道心唯微之语，则为之说曰："自人而言则曰唯危，自道而言则曰唯微。如其说，则古书之言，亦不过由两旁面而观察之，非真有二心也。"又曰："心一理也，理亦一理也，至当归一，精义无二，此心此理，不容有二。"又曰："孟子所谓不虑而知者，其良知也，不学而能者，其良能也，我固有之，非由外铄我也。"

纯粹之唯心论 象山以心即理，而其言宇宙也，则曰，塞宇宙一理耳。又曰，万物皆备于我，只要明理而已。然则宇宙即理，理即心，皆一而非二也。

气质与私欲 象山既不认有理欲之别，而其说时亦有蹈袭前儒者。曰："气质偏弱，则耳目之官，不思而蔽于物，物交物则引之而已矣。由是向之所谓忠信者，流而放辟邪侈，而不能自反矣。当是时，其心之所主，无非物欲而已矣。"又曰："气有所蒙，物有所蔽，势有所迁，习有所移，往而不返，迷而不解，于是为愚为不肖，于彝伦则斁，于天命则悖。"又曰："人之病道者二，一资，二渐习。"然宇宙一理，则必无不善，而何以有此不善之资及渐习，象山固未暇研究也。

思 象山进而论修为之方，则尊思。曰："义理之在人心，实天之所与而不可泯灭者也。彼其受蔽于物，而至于悖理违义，盖亦弗思焉耳。诚能反而思之，则是非取舍，盖有隐然而动，判然而明，决然而无疑者矣。"又曰："学问之功，切磋之始，必有自疑之兆，及其至也，必有自克之实。"

先立其大 然则所思者何在？曰："人当先理会所以为人，深思痛省，枉自汩没，虚过日月，朋友讲学，未说到这里，若不知人之所以为人，而与之讲学，遗其大而言其细，使是放饭流歠而问无齿决。若能知其大，虽轻，自然反轻归厚，因举一人恣情纵欲，一旦知尊德乐道，便明白洁直。"又曰："近有议吾者：曰：'除了先立乎其大者一句，无伎俩。'吾闻之，曰：诚然。又曰：凡物必有本末，吾之教人，大概使其本常重，不为末所累。"

诚 象山于实践方面，则揭一诚字。尝曰："古人皆明实理作实事。"又曰："呜呼！循顶至踵，皆父母之遗骸，俯仰天地之间，惧不能朝夕求寡愧怍，亦得与闻于孟子所谓塞天地吾夫子人为贵之说与？"又引《中庸》之言以证明之曰："诚者非自成己而已也，所以成物也，成己仁也，成物知也，性之德也，合外内之道也。"

结论 象山理论既以心理与宇宙为一，而又言气质，言物欲，又不研究其所由来，于不知不觉之间，由一元论而蜕为二元论，与孟子同病，亦由其所注意者，全在积极一方面故也。其思想之自由，工夫之简易，人生观之平等，使学者无墨守古书拘牵末节之失，而自求进步，诚有足多者焉。

第十一章 杨慈湖

象山谓塞宇宙一理耳，然宇宙之现象，不赘一词。得慈湖之说，而宇宙即理之说益明。

小传 杨慈湖，名简，字敬中，慈溪人。乾道五年，第进士，调当阳主簿，寻历诸官，以大中大夫致仕。宝庆二年卒，年八十六，谥文元。慈湖官当阳时，始遇象山。象山数提本心二字，慈湖问何谓本心？象山曰："君今日所听者扇讼，扇讼者必有一是一非，若见得孰者为非，即决定某甲为是，某甲为非，非本心而何？"慈湖闻之，忽觉其心澄然清明，亟问曰："如是而已乎？"象山厉声答曰："更有何者？"慈湖退而拱坐达旦，质明，纳拜，称弟子焉。慈湖所著有《己易》《启蔽》二书。

己易 慈湖著《己易》，以为宇宙不外乎我心，故宇宙现象之变化，不外乎我心之变化。故曰："易者己也，非他也。以易为书，不以易为己不可。以易为天地之变化，不以易为己之变化，不可也，天地者，我之天地，变化者，我之变化，非他物也。"又曰："吾之性，澄然清明而非物，吾之性，洞然无际而非量。天者，吾性之象，地者，吾性中之形。"故曰："在天成象，在地成形，皆我所为也。混融无内外，贯通无异种。"又曰："天地之心，果可得而见乎？果不可得而见乎？果动乎？果未动乎？特未察之而已，似动而未尝移，似变而未尝改，不改不移，谓之寂然不动可也，谓之无思虑可也，谓之不病而速不行而至可也，是天下之动也，是天下之至赜也。"又曰："吾未见天地人之有三也，三者形也，一者性也，亦曰道也，又曰易也，名言之不用，而其实一体也。"

结论 象山谓宇宙内事即己分内事，其所见固与慈湖同。唯象山之说，多就伦理方面指点，不甚注意于宇宙论。慈湖之说，足以补象山之所未及矣。

第十二章　王阳明

陆学自慈湖以后，几无传人。而朱学则自季宋，而元，而明，流行益广，其间亦复名儒辈出。而其学说，则无甚创见，其他循声附和者，率不免流于支离烦琐。而重以科举之招，益滋言行凿枘之弊。物极则反，明之中叶，王阳明出，中兴陆学，而思想界之气象又一新焉。

小传 王阳明，名守仁，字伯安，余姚人。少年尝筑堂于会稽山之洞中，其后门人为建阳明书院于绍兴，故以阳明称焉。阳明以宏治十二年中进士，尝平漳南横水诸寇，破叛藩宸濠，平广西叛蛮，历官至左都御史，封新建伯。嘉靖七年卒，年五十七。隆庆中，赠新建侯，谥文成。阳明天资绝人，年十八，谒娄一斋，慨然为圣人可学而至。尝遍读考亭之书，循序格物，终觉心物判而为二，不得入，于是出入于佛老之间。武宗时，被谪为贵州龙场驿丞，其地在万山丛树之中，蛇虺魍魉虫毒瘴疠之所萃，备尝辛苦，动心忍性。因念圣人处此，更有何道。遂悟格物致知之旨，以为圣人之道，吾性自足，不假外求，自是遂尽去枝叶，一意本原焉。所著有《阳明全集》《阳明全书》。

心即理 心即理，象山之说也。阳明更疏通而证明之曰："理一而已。以其理之凝聚言之谓之性；以其凝聚之主宰言之谓之心；以其主宰之发动言之谓之意；以其发动之明觉言之谓之知；以其明觉之感应言之谓之物。故就物而言之谓之格；就知而言之谓之致；就意而言之谓之诚；就心而言之谓之正。正者正此心也。诚者诚此心也，致者致此心也，格者格此心也，皆谓穷理以尽性也。天下无性外之理，无性外之物。学之不明，皆由世之儒者认心为外，认物为外，而不知义内之说也。"

知行合一 朱学泥于循序渐进之义，曰必先求圣贤之言于遗书。曰自洒扫应对进退始。其弊也，使人迟疑观望，而不敢勇于进取。阳明于是矫

之以知行合一之说。曰："知是行之始，行是知之成，知外无行，行外无知。"又曰："知之真切笃实处便是行，行之明觉精密处便是知。若行不能明觉精密，便是冥行，便是学而不思则罔；若知不能真切笃实，便是妄想，便是思而不学则殆。"又曰："大学言如好色，见好色属知，好好色属行。见色时即是好，非见而后立志去好也。今人却谓必先知而后行，且讲习讨论以求知。俟知得真时，去行，故遂终身不行，亦遂终身不知。"盖阳明之所谓知，专以德性之智言之，与寻常所谓知识不同；而其所谓行，则就动机言之，如大学之所谓意。然则即知即行，良非虚言也。

致良知 阳明心理合一，而以孟子之所谓良知代表之。又主知行合一，而以大学之所谓致知代表之。于是合而言之，曰致良知。其言良知也，曰："天命之性，粹然至善，其灵明不昧者，皆其至善之发见，乃明德之本体。而所谓良知者也。"又曰："未发之中，即良知也。无前后内外，而浑然一体者也。"又曰："虽妄念之发，而良知未尝不在，虽昏塞之极，而良知未尝不明。"于是进而言致知，则包诚意格物而言之，曰："今欲别善恶以诚其意，唯在致其良知之所知焉尔。何则？意念之发，吾心之良知，既知其为善矣，使其不能诚有以好之，而复背而去之，则是以善为恶，自昧其知善之良知矣。意念之所发，吾之良知，既知其为不善矣，使其不能诚有以恶之，而复蹈而为之，则是以恶为善，而自昧其知恶之良知矣。若是，则虽曰知之，犹不知也。意其可得而诚乎？今于良知所知之善恶者，无不诚好而诚恶之。则不自欺其良知而意可诚矣。"又曰："于其良知所知之善者，即其意之所在之物而实去之，无有乎不尽。于其良知所知之恶者，即其意之所在之物而实为之，无有乎不尽。然后物无不格，而吾良知之所知者，吾有亏缺障蔽，而得以极其至矣。"是其说，统格物诚意于致知，而不外乎知行合一之义也。

仁 阳明之言良知也，曰："人的良知，就是草木瓦石的良知。若草木瓦石无人的良知，不可以为草木瓦石矣。岂唯草木瓦石为然，天地无人的良知，亦不可以为天地矣。"是即心理合一之义，谓宇宙即良知也。于是言其致良知之极功，亦必普及宇宙，阳明以仁字代表之。曰："是故见孺子之入井，而必有怵惕恻隐之心焉，是其仁之与孺子而为一体也；孺子犹同类者也，见鸟兽之哀鸣觳觫而必有不忍之心焉，是其仁之与鸟兽而为一体也；鸟兽犹有知觉者也，见草木之摧折，而必有悯惜之心焉，是其仁之与草木而为一体也；草木犹有生意者也，见瓦石之毁坏，而必有顾惜之心焉，是其仁之与瓦石而为一体也，是其一体之仁也。虽小人之心，亦必有之。是本根于天命之性，而自然灵昭不昧者也。"又曰："故明明德，必在于亲民，而亲民乃所以明其明德也。是故亲吾之父，以及人之父，以及天下人之父，而后吾之仁实与吾之父、人之父与天下人之父而为一体矣。实与之为一体，而后孝之明德始明矣。亲吾兄，以及人之兄，以及天下人之兄，而后吾之仁，实与吾之兄、人之兄与天下人之兄而为一体矣。实与之为一体，而后弟之明德始明矣。君臣也，夫妇也，朋友也，以至于山川鬼神草木鸟兽也，莫不实有以亲之，以达吾一体之仁，然后吾之明德始无不明，而真能以天地万物为一体矣。"

结论 阳明以至敏之天才，至富之阅历，至深之研究，由博返约，直指本原，排斥一切拘牵文义区画阶级之习，发挥陆氏心理一致之义，而辅以知行合一之说。孔子所谓我欲仁斯仁至，孟子所谓人皆可以为尧舜焉者，得阳明之说而其理益明。虽其依违古书之文字，针对末学之弊习，所揭言说，不必尽合于论理，然彼所注意者，本不在是。苟寻其本义，则其所以矫朱学末流之弊，促思想之自由，而励实践之勇气者，其功固昭然不可掩也。

第三期结论 自宋及明，名儒辈出，以学说鬩理之，朱、陆两派之舞台而已。濂溪、横渠，开二程之先，由明道历上蔡而递演之，于是有象山学派；由伊川历龟山而递演之，于是有晦庵学派。象山之学，得阳明而益光大；晦庵之学，则薪传虽不绝，而未有能扩张其范围者也。朱学近于经验论，而其所谓经验者，不在事实，而在古书，故其末流，不免依傍圣贤而流于独断。陆学近乎师心，而以其不胶成见，又常持物我同体知行合一之义，乃转有以通情而达理，故常足以救朱学末流之弊也。唯陆学以思想自由之故，不免轶出本教之范围。如阳明之后，有王龙溪一派，遂昌言禅悦，递传而至李卓吾，则遂公言不以孔子之是非为是非，而卒遭焚书杀身之祸。自是陆、王之学，益为反对派所诟病，以其与吾族尊古之习惯不相投也。朱学逊言谨行，确守宗教之范围，而于其范围中，尤注重于为下不悖之义，故常有以自全。然自本朝有讲学之禁，而学者社会，亦颇倦于搬运文学之性理学，于是遁而为考据。其实仍朱学尊经笃古之流派，唯益缩其范围，而专研诂训名物。又推崇汉儒，以傲宋明诸儒之空疏，益无新思

想之发展，而与伦理学无关矣。阳明以后，唯戴东原，咨嗟于宋学流弊生心害政，而发挥孟子之说以纠之，不愧为一思想家。其他若黄梨洲，若俞理初，则于实践伦理一方面，亦有取薶蕴已久之古义而发明之者，故叙其概于左。

戴东原　名震，休宁人。卒于乾隆四十二年，年五十五。其所著书关于伦理学者，有《原善》及《孟子字义疏证》。

其学说　东原之特识，在窥破宋学流弊，而又能以论理学之方式证明之。其言曰："六经孔孟之言，以及传记群籍，理字不多见。今虽至愚之人，悖戾恣睢，其处断一事，责诘一人，莫不辄曰理者。自宋以来，始相习成俗，则以理为如有物焉。得于天而具于心，因以心之意见当之也。于是负其气，挟其势位，加以口给者，理伸；力弱气慴，口不能道词者，理屈。"又曰："自宋儒立理欲之辨，谓不出于理，则出于欲，不出于欲，则出于理。于是虽视人之饥寒号呼男女哀怨以至垂死冀生，无非人欲。空指一绝情欲之感，为天理之本然，存之于心，及其应事，幸而偶中，非曲体事情求如此以安之也。不幸而事情未明，执其意见，方自信天理非人欲，而小之一人受其祸，大之天下国家受其祸。"又曰："今之治人者，视古圣贤体民之情，遂民之欲，多出于鄙细隐曲，不措诸意，不足为怪，而及其责以理也，不难举旷世之高节，著于义而罪之。尊者以理责卑，长者以理责幼，贵者以理责贱，虽失谓之顺。卑者、幼者、贱者以理争之，虽得谓之逆。于是下之人，不能以天下之同情天下所同欲达之于上，上以理责其下，而在下之罪，人人不胜指数。人死于法，犹有怜之者；死于理，其谁怜之！"又曰："理欲之辨立，举凡饥寒愁怨饮食男女常情隐曲之感，则名之曰人欲。故终身见欲之难制，且自信不出于欲，则思无愧怍，意见所非，则谓其人自绝于理。"又曰："既截然分理欲为二，治己以不出于欲为理，治人亦必以不出于欲为理。举凡民之饥寒愁怨饮食男女常情隐曲之感，咸视为人欲之甚轻者矣。轻其所轻，乃吾重天理也，公义也。言虽美而用之治人则祸其人。至于下以欺伪应乎上，则曰人之不善。此理欲之辨，适以穷天下之人，尽转移为欺伪之人，为祸何可胜言也哉！"其言可谓深切而著明矣。

至其建设一方面，则以孟子为本，而博引孟子以前之古书佐证之。其大恉，谓天道者，阴阳五行也。人之生也，分于阴阳五行以为性，是以有血气心知，有血气，是以有欲，有心知，是以有情有知。给于欲者，声色臭味也，而因有爱畏。发乎情者，喜怒哀乐也，而因有惨舒。辨于知者，美丑是非也，而因有好恶。是东原以欲情知三者为性之原质。然则善恶何自而起？东原之意，在天以生生为道，在人亦然。仁者，生生之德也。是故在欲则专欲为恶，同欲为善。在情则过不及为恶，中节为善。而其条理则得之于知。故曰："人之生也，莫病于无以遂其生，欲遂其生，亦遂人之生，仁也。欲遂其生，至于戕贼人之生而不顾者，不仁也。不仁实始于欲遂其生之心，使其无此欲，必无不仁矣。然使其无此欲，则于天下之人生道始促，亦将漠然视之，己不必遂其生，其遂人之生，无是情也。"又曰："在己与人，皆谓之情，无过情无不及情之谓理。理者，情之不爽失也，未有情不得而理得者。凡有所施于人，反躬而静思之，人以此施于我，能受之乎？凡有所责于人，反躬而静思之，人以此责于我，能尽之乎？以我絜之人，则理明。"又曰："生养之道，存乎欲者也。感通之道，存乎情者也。二者自然之符，天下之事举矣。尽善恶之极致，存乎巧者也，宰御之权，由斯而出。尽是非之极致，存乎智者也，贤圣之德，由斯而备。二者亦自然之符，精之以底于必然，天下之能举矣。"又曰："有是身，故有声色臭味之欲。有是身，而君臣父子夫妇昆弟朋友之伦具，故有喜怒哀乐之情。唯有欲有情而又有知，然后欲得遂也。情得达。天下之事，使欲之得遂，情之得达，斯已矣。唯人之知，小之能尽美丑之极致，大之能尽是非之极致，然后遂己之欲者、广之能遂人之欲，达己之情者、广之能达人之情。道德之盛，使人之欲无不遂，人之情无不达，斯已矣。"

凡东原学说之优点有三：（一）心理之分析。自昔儒者，多言性情之关系，而情欲之别，殆不甚措意，于知亦然。东原始以欲、情、知三者为性之原质，与西洋心理学家分心之能力，为意志、感情、知识三部者同。其于知之中又分巧、智两种，则亦美学、哲学不同之理也。（二）情欲之制限。王荆公、程明道，皆以善恶为即情之中节与否，而于中节之标准何在，未之言。至于欲，则自来言绝欲者，固近于厌世之义，而非有生命者所能实行。即言寡欲者，亦不能质言其多寡之标准。至东原而始以人之欲为己之欲之界，以人之情为己之情之界，与西洋功利派之伦理学所谓人各自由而以他人之自由为界者同。（三）至善之状态。庄子之心斋，佛氏之涅槃，皆以超绝现世为至善之境。至儒家言，

则以此世界为范围。先儒虽侈言胞与民物万物一体之义，而竟无以名言其状况，东原则由前义而引申之。则所谓于善者，即在使人人得遂其欲，得达其情，其义即孔子所谓仁恕，不但其理颠扑不破，而其致力之处，亦可谓至易而至简者矣。

凡此皆非汉宋诸儒所见及，而其立说之有条贯，有首尾，则尤其得力于名数之学者也。（乾嘉间之汉学，实以言语学兼论理学，不过范围较隘耳。）唯群经之言，虽大义不离乎儒家，而其名词之内容，不必一一与孔孟所用者无稍出入，东原囿于当时汉学之习，又以与社会崇拜之宋儒为敌，势不得有所依傍。故其全书，既依托于孟子，而又取群经之言一一比附，务使与孟子无稍异同，其间遂亦不免有牵强附会之失，而其时又不得物质科学之助力，故于血气与心知之关系，人物之所以异度，人性之所以分于阴阳五行，皆不能言之成理，此则其缺点也。东原以后，阮文达作《性命古训》《论语仁论》，焦理堂作《论语通释》，皆东原一派，然未能出东原之范围也。

黄梨洲 名宗羲，余姚人，明之遗民也。卒于康熙三十四年，年八十六。著书甚多。兹所论叙，为其《明夷待访录》中之《原君》《原臣》二篇。

其学说 周以上，言君民之关系者，周公建洛邑曰："有德易以兴，无德易以亡。"孟子曰："民为贵，社稷次之，君为轻。"言君臣之关系者，晏平仲曰："君为社稷死亡则死亡之，若为己死而为己亡，非其所昵，谁敢任之。"孟子曰："贵戚之卿，谏而不听，则易位，易姓之卿，谏而不听，则去之。"其义皆与西洋政体不甚相远。自荀卿、韩非，有极端尊君权之说，而为秦汉所采用，古义渐失。至韩愈作《原道》，遂曰："君者，出令者也。臣者，行君之令而致之于民者也。民者，出粟米丝麻作器皿通货财以事其上者也。"其推文王之意以作羑里操，曰："臣罪当诛兮，天王圣明。"皆与古义不合。自唐以后，亦无有据古义以正之者，正之者自梨洲始。

其原君也，曰："有生之初，人各自私也，人各自利也，天下有公利而莫或兴之，有公害而莫或除之；有人君者出，不以一己之利为利，而使天下受其利，不以一己之害为害，而使天下释其害。后之为人君者不然，以为天下利害之权，皆出于我。我以天下之利尽归于己，以天下之害尽归于人，亦无不可，使天下之人，不敢自私，不敢自利，以我之大私，为天下之公；始而惭焉，久而安焉，视天下为莫大之产业，传之子孙，受享无穷。此无他，古者以天下为主，君为客，凡君之所毕世而经营者，为天下也。今也以君为主，天下为客，凡天下之天地而得安宁者，为君也。"

其原臣也，曰："臣道如何而后可？曰：缘夫天下之大，非一人之所能治，而分治以群工，故我之出而仕也，为天下，非为君也，为万民，非为一姓也。世之为臣者，昧于此义，以为臣为君而设者也，君分吾以天下而后治之，君授吾以人民而后牧之，轻天下人民为人君囊中之私物。今以四方之劳扰，民生之憔悴，足以危吾君也，不得不讲治之救之之术。苟无系于社稷之存亡，则四方之劳扰，民生之憔悴，虽有诚臣，亦且以为纤介之疾也。"又曰："盖天下之治乱，不在一姓之存亡，而在万民之忧乐，是故桀纣之亡，乃所以为治也。秦政蒙古之兴，乃所以为乱也，晋宋齐梁之兴亡，无与于治乱者也。为臣者，轻视斯民之水火，即能辅君而兴，从君而亡，其于臣道固未尝不背也。"在今日国家学学说既由泰西输入，君臣之原理，如梨洲所论者，固已为人之所共晓。然在当日，则不得不推为特识矣。

俞理初 名正燮，黟县人。卒于道光二十年，年六十。所著有《癸巳类稿》及存稿。

其学说 夫野蛮人与文明人之大别何在乎？曰：人格之观念之轻重而已。野蛮人之人格观念轻，故其对于他人也，以畏强凌弱为习惯；文明人之人格观念重，则其对于他人也，以抗强扶弱为习惯。抗强所以保己之人格，而扶弱则所以保他人之人格也。

人类中妇女弱于男子，而其有人格则同。各种民族，诚皆不免有以妇女为劫掠品、卖买品之一阶级。然在泰西，其宗教中有万人同等之义，故一夫一妻之制早定。而中古骑士，勇于公战而谨事妇女，已实行抗强扶弱之美德。故至今日，而尊重妇女人格，实为男子之义务矣。我国夫妇之伦，本已脱掠卖时代，而近于一夫一妇之制，唯尚有妾媵之设。而所谓贞操焉者，乃专为妇女之义务，而无与于男子。至所谓妇女之道德，卑顺也，不妒忌也，无一非消极者。自宋以后，凡事舍情而言理。如伊川者，且目寡妇之再醮为失节，而谓饿死事小、失节事大，于是妇女益陷于穷而无告之地位矣。

理初独潜心于此问题。其对于裹足之陋习,有《书旧唐书舆服志后》,历考古昔妇人履舄之式,及裹足之风所自起,而断之曰:"古有丁男丁女,裹足则失丁女,阴弱则两仪不完。""又出古舞屦贱服,女贱则男贱。"其《节妇说》曰:"礼郊特牲云:一与之齐,终身不改,故夫死不嫁。《后汉书·曹世叔传》云:夫有再娶之义,妇无二适之文。故曰:夫者天也。按妇无二适之文,固也,男亦无再娶之仪。圣人所以不定此仪者,如礼不下庶人,刑不上大夫,非谓庶人不行礼,大夫不怀刑也。自礼意不明,苛求妇人,遂为偏义。古礼夫妇合体同尊卑,乃或卑其妻。古言终身不改,身则男女同也。七事出妻,乃七改矣;妻改再娶,乃八改矣。男子理义无涯涘,而深文以罔妇人,是无耻之论也。"又曰:"再嫁者不当非之,不再嫁者敬礼之斯可矣。"其《妒非女人恶德论》曰:"妒在士君子为义德,谓女人妒为恶德者,非通论也。夫妇之道,言致一也。夫买妾而妻不妒,则是恝也,恝则家道坏矣。易曰:三人行则损一人,一人行则得其友,言致一也,是夫妇之道也。"又作《贞女说》,斥世俗迫女守贞之非。曰:"乌呼!男儿以忠义自责则可耳,妇女贞烈,岂是男子荣耀也?"又尝考乐户及女乐之沿革,而以本朝之书去其籍为廓清天地,为舒愤懑。又历考娼妓之历史,而为〔谓〕此皆无告之民,凡苛待之者谓之虐无告。凡此种种问题,皆前人所不经意。至理初,始以其至公至平之见,博考而慎断之。虽其所论,尚未能为根本之解决,而亦未能组成学理之系统,然要不得不节取其意见,而认为至有价值之学说矣。

余论 要而论之,我国伦理学说,以先秦为极盛,与西洋学说之滥觞于希腊无异。顾西洋学说,则与时俱进,虽希腊古义,尚为不祧之宗,而要之后出者之繁博而精核,则迥非古人所及矣。而我国学说,则自汉以后,虽亦思想家辈出,而自清谈家之浅薄利己论外,虽亦多出入佛老,而其大旨不能出儒家之范围。且于儒家言中,孔孟已发之大义,亦不能无所湮没。即前所叙述者观之,以晦庵之勤学,象山、阳明之繁悟,东原之精思,而所得乃止于此,是何故哉?(一)无自然科学以为之基础。先秦唯于墨子颇治科学,而汉以后则绝迹。(二)无论理学以为思想言论之规则。先秦有名家,即荀、墨二子亦兼治名学,汉以后此学绝矣。(三)政治宗教学问之结合。(四)无异国之学说以相比较。佛教虽闳深,而其厌世出家之法,与我国实践伦理太相远,故不能有大影响。此其所以自汉以来，历两千年，而学说之进步仅仅也。然如梨洲、东原、理初诸家，则已渐脱有宋以来理学之羁绊，是殆为自由思想之先声。迩者名数质力之学，习者渐多，思想自由，言论自由，业为朝野所公认。而西洋学说，亦以渐输入。然则吾国之伦理学界，其将由是而发展其新思想也，盖无疑也。

科学之修养
——在北京高等师范学校修养会演说词

（一九一九年四月二十四日）

鄙人前承贵校德育部之召，曾来校演讲；今又蒙修养会见召，敢述修养与科学之关系。

查修养之目的，在使人平日有一种操练，俾临事不致措置失宜。盖吾人平日遇事，常有计较之余暇，故能反复审虑，权其利害是非之轻重而定取舍。然若至仓促之间，事变横来，不容有审虑之余地，此时而欲使诱惑、困难不能摇其操守，非凭修养有素不可，此修养之所以不可缓也。

修养之道，在平日必有种种信条：无论其为宗教的或社会的，要不外使服膺者储蓄一种抵抗之力，遇事即可凭之以定抉择。如心所欲作而禁其不作，或心所不欲而强其必行，皆依于信条之力。此种信条，无论文明、野蛮民族均有之。然信条之起，乃由数千万年习惯所养成；及行之既久，必有不适之处，则怀疑之念渐兴，而信条之效力遂失。此犹就其天然者言也。乃若古圣先贤之格言嘉训，虽属人造，要亦不外由时代经验归纳所得之公律，不能不随时代之变迁而易其内容。吾之今日所见为嘉言懿行者，在日后或成故纸；欲求其能常系人之信仰，实不可能。由是观之，则吾人之于修养，不可不研究其方法。在昔吾国哲人，如孔、孟、老、庄之属，均曾致力于修养，而宋、明儒者尤专力于此。然学者提倡虽力，卒不能使天下之人尽变为良善之士，可知修养亦无一定之必可恃者也。至于吾人居今日而言修养，则尤不能如往古道家之蛰影深山，不闻世事。盖今日社会愈进，世务愈繁。已入社会者，固不能舍此而他从；即未入社会之学校青年，亦必从事于种种学问，为将来入世之准备。其责任之繁重如是，故往往易为外务所缚，无精神休假之余地，常易使人生观陷于悲观厌世之域，而不得志之人为尤甚。其故即在现今社会与从前不同。欲补救此弊，须使人之精神有张有弛。如作事之后，必继之以睡眠，而精神之疲劳，亦必使有机会得以修养。此种团体之结合，尤为可喜之事。但鄙人以为修养之致力，不必专限于集会之时，即在平时课业中亦可利用其修养。故特标此题曰："科学的修养"。

今即就贵会之修养法逐条说明，以证科学的修养法之可行。如贵会简章有"力行校训"一条。贵校校训为"诚勤勇爱"四字。此均可于科学中行之。如"诚"字之义，不但不欺人而已，亦必不可为他人所欺。盖受人之欺而不自知，转以此说复诏他人，其害与欺人者等也。是故吾人读古人之书，其中所言苟非亲身实验证明者，不可轻信；乃至极简单之事实，如一加二为三之数，亦必以实验证明之。夫实验之用最大者，莫如科学。譬如报纸纪事，臧否不一，每使人茫无适从。科学则不然。真是真非，丝毫不能移易。盖一能实验，而一不能实验故也。由此观之，科学之价值即在实验。是故欲力行"诚"字，非用科学的方法不可。

其次"勤"：凡实验之事，非一次所可了。盖吾人读古人之书而不慊于心，乃出之实验。然一次实验之结果，不能即断其必是，故必继之以再以三，使有数次实验之结果。如不误，则可以证古人之是否；如与古人之说相刺谬，则尤必详考其所以致误之因，而后可以下断案。凡此者反复推寻，不惮周详，可以养成勤劳之习惯。故"勤"之力行亦必依赖夫科学。

再次"勇"：勇敢之意义，固不仅限于为国捐躯、慷慨赴义之士，凡作一事，能排万难而达其目的者，皆可谓之勇。科学之事，困难最多。如古来科学家，往往因试验科学致丧其性命，如南北极及海底探险之类。又如新发明之学理，有与旧传之说不相容者，往往遭社会之迫害，如哥白尼、伽利略之惨祸。可见研究学问，亦非有勇敢性质不可；而勇敢性质，即可于科学中养成之。大抵勇敢性有二：其一发明新理之时，排去种种之困难阻碍；其二，既发明之后，敢于持论，不惧世俗之非笑。凡此二端，均由科学所养成。

再次"爱"：爱之范围有大小。在野蛮时代，仅知爱自己及与己最接近者，如家族之类。此外稍远者，辄生嫌忌之心。故食人之举，往往有焉。其后人智稍进，爱之范围渐扩，然犹不能举人我之见而悉除之。如今

日欧洲大战，无论协约方面或德奥方面，均是己非人，互相仇视，欲求其爱之普及甚难。独至于学术方面则不然：一视同仁，无分畛域；平日虽属敌国，及至论学之时，苟所言中理，无有不降心相从者。可知学术之域内，其爱最溥。又人类嫉妒之心最盛，入主出奴，互为门户。然此亦仅限于文学耳；若科学，则均由实验及推理所得唯一真理，不容以私见变易一切。是故嫉妒之技无所施，而爱心容易养成焉。

以上所述，仅就力行校训一条引申其义。再阅简章，有静坐一项。此法本自道家传来。佛氏之坐禅，亦属此类。然历年既久，卒未普及社会；至今日日本之提倡此道者，纯以科学之理解释之。吾国如蒋竹庄先生亦然，所以信从者多，不移时而遍于各地。此亦修养之有赖于科学者也。

又如不饮酒、不吸烟二项，亦非得科学之助力不易使人服行。盖烟酒之嗜好，本由人无正当之娱乐，不得已用之以为消遣之具，积久遂成痼疾。至今日科学发达，娱乐之具日多，自不事此无益之消遣。如科学之问题，往往使人兴味加增，故不感疲劳而烟酒自无用矣。

今日所述，仅感想所及，约略陈之。唯宜注意者，鄙人非谓学生于正课科学之外，不必有特别之修养，不过正课之中，亦不妨兼事修养，俾修养之功，随时随地均能用力，久久纯熟，则遇事自不致措置失宜矣。

义务与权利
——在北京女子师范学校演说词

（一九一九年十二月七日）

贵校成立，于兹十载，毕业生之服务于社会者，甚有声誉，鄙人甚所钦佩。今日承方校长属以演讲，鄙人以诸君在此受教，是诸君的权利；而毕业以后即当任若干年教员，即诸君之义务，故愿为诸君说义务与权利之关系。

权利者，为所有权、自卫权等，凡有利于己者，皆属之。义务则几尽吾力而有益于社会者皆属之。

普通之见，每以两者为互相对待，以为既尽某种义务，则可以要求某种权利，既享某种权利，则不可不尽某种义务。如买卖然，货物与金钱，其值相当是也。然社会上每有例外之状况，两者或不能兼得，则势必偏重其一。如杨朱为我，不肯拔一毛以利天下；德国之斯梯纳（Stirner）及尼采（Nietsche）等，主张唯我独尊，而以利他主义为奴隶之道德。此偏重权利之说也。墨子之道，节用而兼爱。孟子曰：生与义不可得兼，舍生而取义。此偏重义务之说也。今欲比较两者之轻重，以三者为衡。

（一）以意识之程度衡之。下等动物，求食物，卫生命，权利之意识已具；而互助之行为，则于较为高等之动物始见之。昆虫之中，蜂、蚁最为进化。其中雄者能传种而不能作工。传种既毕，则工蜂、工蚁刺杀之，以其义务无可再尽，即不认其有何等权利也。人之初生，即知吮乳，稍长则饥而求食，寒而求衣，权利之意义具，而义务之意识未萌。及其长也，始知有对于权利之义务。且进而有公而忘私、国而忘家之意识。是权利之意识，较为幼稚；而义务之意识，较为高尚也。

（二）以范围的广狭衡之。无论何种权利，享受者以一身为限；至于义务，则如振兴实业、推行教育之类，享其利益者，其人数可以无限。是权利之范围狭，而义务之范围广也。

（三）以时效之久暂衡之。无论何种权利，享受者以一生为限。即如名誉，虽未尝不可认为权利之一种，而其人既死，则名誉虽存，而所含个人权利之性质，不得不随之而消灭。至于义务，如禹之治水，雷绥佛（Lessevs）之凿苏彝士河，汽机、电机之发明，文学家、美术家之著作，则其人虽死，而效力常存。是权利之时效短，而义务之时效长也。

由是观之，权利轻而义务重。且人类实为义务而生存。例如人有子女，即生命之派分，似即生命权之一部。然除孝养父母之旧法而外，曾何权利之可言？至于今日，父母已无责备子女以孝养之权利，而饮食之，教诲之，乃为父母不可逃之义务。且列子称愚公之移山也，曰："虽我之死，有子存焉。子又生孙，孙又生子，子子孙孙，无穷匮也，而山不加增，何苦而不平？"虽为寓言，实含至理。盖人之所以有子孙者，为夫生年有尽，而义务无穷；不得不以子孙为延续生命之方法，而于权利无关。是即人之生存，为义务而不为权利之证也。

唯人之生存，既为义务，则何以又有权利？曰：盖义务者在有身，而所以保持此身，使有以尽义务者，曰权利。如汽机然，非有燃料，则不能作工，权利者，人身之燃料也。故义务为主，而权利为从。

义务为主，则以多为贵，故人不可以不勤；权利为从，则适可而止，故人不可以不俭。至于捐所有财产，以助文化之发展，或冒生命之危险，而探南北极、试航空术，则皆可为善尽义务者，其他若厌世而自杀，实为放弃义务之行为，故伦理学家常非之。然若其人既自知无再尽义务之能力，而坐享权利，或反以其特别之疾病若罪恶，贻害于社会，则以自由意志而决然自杀，亦有可谅者。独身主义亦然，与谓为放弃权利，毋宁谓为放弃义务。然若有重大之义务，将竭毕生之精力以达之，而不愿为室家所累；又或自忖体魄，在优种学上者不适于遗传之理由，而决然抱独身主义，亦有未可厚非者。

今欲进而言诸君之义务矣。闻诸君中颇有以毕业后必尽教员之义务为苦者。然此等义务，实为校章所定。诸君入校之初，既承认此校章矣。若于校中既享有种种之权利，而竟放弃其义务，如负债不偿然，于心安乎？

毕业以后，固亦有因结婚之故，而家务、校务不能兼顾者。然胡彬夏女士不云乎："女子尽力社会之暇，能整理家事，斯为可贵。"是在善于调度而已。我国家庭之状况，烦琐已极，诚有使人应接不暇之苦。然使改良组织，日就简单，亦未尝不可分出时间，以服务于社会。又或约集同志，组织公育儿童之机关，使有终身从事教育之机会，亦无不可。在诸君勉之而已。

近代名人文库精粹

我的新生活观

（一九二〇年十月）

　　什么叫旧生活？是枯燥的，是退化的。什么叫新生活？是丰富的，是进步的。旧生活的人，是一部分不作工，又不求学的，终日把吃著嫖赌作消遣。物质上一点也没有生产，精神上也一点没有长进。又一部分是整日做苦工，没有机会求学，身体上疲乏得了不得，所作的工是事倍功半，精神上得过且过，岂不全是枯燥的吗？不作工的人，体力是逐渐衰退了；不求学的人，心力又逐渐萎靡了；一代传一代，更衰退，更委靡，岂不全是退化吗？新生活是每一个人，每日有一定所作工，又有一定的时候求学，所以制品日日增加。还不是丰富的么？工是愈练愈熟的，熟了出产必能加多；而且"熟能生巧"，就能增出新工作来。学是有一部分讲现在作工的道理，懂了这个道理，工作必能改良。又有一部分讲别种工作的道理，懂了那种道理，又可以改良别种的工。从简单的工改到复杂的工；从容易的工改到繁难的工。从出产较少的工改到出产较多的工。而且有一种学问，虽然与工作没有直接的关系，但是学了以后，眼光一日一日的远大起来，心地一日一日的平和起来，生活上无形中增进许多幸福。这还不是进步的吗？要是有一个人肯日日作工，日日求学，便是一个新生活的人；有一个团体里的人，都是日日作工，日日求学，便是一个新生活的团体；全世界的人都是日日作工，日日求学，那就是新生活的世界了。

慈幼的新意义

（一九三五年七月）

《周礼》："大司徒之职，以保息六养万民，一曰慈幼……"孔子说："少者怀之。"又说："少有所长。"孟子说："幼吾幼以及人之幼。"这样的好事，在周代已经通行，两千年来，似乎没有停顿过，只要看各地方都有育婴堂，就可以证明了。但是讲到慈幼的意义，旧时代与新时代不见得相同。

旧时代，最粗浅的是慈善事业上的功利主义。他们笃信"行道有福"的因果律，以为我若能慈幼，上帝或其他神祇一定有酬报。这与家庭中"养儿防老"的观念差不多，这当然是一种不纯洁的心理。

进一步，完全出于同情。世界上最小最弱的，最易引起爱怜；纯洁的慈善家，正与纯洁的慈母一样。但仅仅有此同情，尚难免流于姑息的爱，而不能爱人以德。

新时代的慈幼事业，不是从个人的立场出发，而是从社会的立场出发；不是基本于恻隐心，而是基本于责任心。社会是进步的，现代的人要时时刻刻为后一代人准备，使后一代人的能力比现代人进步，然后可以应付将来的社会，使他不致退化。所以现代人宁为将来而牺牲现在，决不肯为现在而牺牲将来。例如将沉没的船，遇着救生的舢板，必让儿童及妇女先下，凡成年的男子敢与争先者，得以武器阻止他。大战以后的都市，因食物不足，凡牛乳等营养品，必先尽托儿所应用，而后分配于成人。这决不是为单纯的爱怜弱小的观念所主动，而是被认为一种公共的责任。这就是现代慈幼的新意义。

杂 文

墨子的非攻与善守

（一九三六年十月十一日）

墨子是一个极端反对侵略的人，他作《非攻》篇，历举侵略非义的例证，又历举侵略者自身不利的例证。对于侵略者，不但词严义正的责他们，而且也苦口婆心的劝他们。但是他并不是空言禁攻，而有一种抵抗侵略的准备，有事实可以证明。

墨子听说楚王要攻宋，就跑到楚国去，探听楚王为什么要攻宋，因为公输盘替楚王造了一种云梯，要到宋国去试一试。墨子就要求同他小试一回。解革带为城，请他攻，公输盘九次进攻，都被墨子打退了。公输盘的机械用完，墨子的守备还有余。公输盘说："我有一个对你的方法了，但是我不说。"墨子说："我知道你对我的方法了，但我也不说。"楚王问什么缘故，墨子说："公输子的方法，是杀我；他以为杀了我，就没有人替宋守，他就可以攻宋了。殊不知道我的学生禽滑釐等三百人，都已装置好我所发明的守备，在宋国城上候楚兵了。"楚王就决定不攻宋。设使墨子没有这种守备的器具与技能，又使没有受训练的三百学生，虽空言非攻，还是无用。我们对于墨子的准备，可分别考察一回。

第一是学术的根柢。《墨子·经》上下、《经说》上下等篇，颇引到数学与物理学的例证，可见墨家对于物质科学，从事研求。又《贵义》篇说，墨子往卫国的时候，载书很多，可以见墨子的好学。

第二是工艺的创造。《墨子》书中，《备城门》《备高临》《备梯》《备水》《备突》《备蛾傅》及《杂守》等篇，都是关于工程与机械的装置同应用。前述与公输盘小试的技能，想也是这一类的。又据《韩非子·外储说》所说，墨子造木鸢，三年而成，一日而败。弟子说他巧，墨子自言："不及造车辖的巧，造辖的不要费一天的工夫，用几尺木料造成，就可以引三十石的重载，而且可以应用，比造木鸢的强得多了。"这固然是墨子的谦词，但亦可以见他对于品评工艺的标准。若是墨子生在现代，怕得在担〔坦〕克车与飞机、飞艇上，一定有许多发明了。

第三是徒属的训练。《吕氏春秋》称墨子徒属弥众，弟子充满天下。墨子对楚王说到弟子禽滑釐等三百人。淮南子称墨子服役者百八十人，皆可使赴火蹈刃，死不旋踵。楚吴起的事变，墨者巨子孟胜为阳城君死守，弟子死者百八十五人。可见墨家训练徒属的严格与感化的强度了。

第四是勤俭的锻炼。自古名将，没有不与士卒同甘苦的，若骄奢淫逸，怎么能普及呢！墨子是主张"节用"的；自称"量腹而食，度身而衣。"庄子称他"裘褐为衣，跂蹻为服，以自苦为极。"而他的勤劳，也非常人所能及。例如救宋的一役，从鲁国跑到楚国，裂裳裹足，日夜不休，十日十夜乃到。他既克勤克俭，以身作则，他的徒属，岂能不受感化。

第五是执法的公正。墨子主张兼爱，没有亲疏的差别，所以对于罪人的惩罚，也没有"议亲"的例外。据《吕氏春秋·去私》篇所载，墨家巨子腹䵍住在秦国，他的儿子杀了人，秦王因腹䵍年老，并且没有第二个儿子，所以令法官不要杀他。腹䵍说："墨家的法，杀人者死，伤人者刑，是要禁杀伤人的；禁杀伤人，是天下大义；王虽然令法官勿诛，我不可不行墨子的法。"就把他的儿子杀了。这可以见墨家执法之严了。

墨子与其徒属，有这些物质的设备，精神的训练，所以能替弱小国家抵抗侵略，用武装和平的手续，把战争消弭于事前。

《墨子》书中有《天志》《明鬼》《非乐》等篇，固非我辈所能赞同，但他也有许多很好的理论，尤其是他的非攻而善守的一义，可以作我们的模范；我们不能不注意。

新 年 梦

(一九〇四年二月十七日)

公喜!公喜!新年了,到新世界了,真可喜!真可喜!这两句话,是一个支那人自号"中国一民"的,在甲辰年正月初一日午前六点钟,从床上跳起来对他的朋友说的。这几句话在这一日说的人不知多少,为何要记起来,这却有个缘故。原来那人是江南富家子弟,他自幼性情有点古怪,读书之外,喜学工艺,内地的木工、铁工都是旧法,无所不学,一学就会。到十六岁时,他就离家外出,把应得的家财产业,都任父兄料理,只带点川费,跑到通商口岸作工度日,兼学英、法、德三国文字。隔了三年,差不多三国的通行语都能说了。他又学了点西人的普通学,学了点西人的工艺,就要游历外国。他是最爱平等、爱自由的人,所以先到美国,又从美国到法国,因为专门学问德国最高,又到德国进高等工业学校,自己又研究研究哲学。那时候,俄国的民党在德国的很多,他时常与之往来,渐渐把俄国话学会了。卒业后,他到英吉利、意大利、瑞士等国游历过了,慢慢的到俄国去考察他们社会上的情形很详细,走西伯利亚回到东三省。又由北到南,循着几条河流,一处一处的考察过了,又回到从初次出门的通商场。那时候此人已经三十多岁了,他这十几年的旅费、学费,都是作工作出来的。从来不白要别人一个钱,从来不在无益的事情上白花一个钱。

他既然游历了许多地方,研究了许多年数,就下句断语道:"人类的力量,现在还不能胜自然,如瘟疫水旱的事,终不能免。是因为地球上一国一国的分了,各要贪自己国里的便宜。国与国的交涉,把人的力量都靡费掉了,一国所以不能胜别国,不是土地失去,就是利权让人。因为一国中，又是一家一家的分了，各要顾自己家里的便宜，把人的力量都靡费掉了。如今最文明国的人，还是把他力量一半费在国上，一半费在家上，实在还没有完全的国，哪里能讲到世界主义！先要把没有成国的人，都叫他好好儿造起一个国来才好。现在史拉夫人、支那人，都是有家没有国的，史拉夫人□造□国的，一天多于一天。支那人想的都少，还是天天自己说是中国人，中国人真厚脸皮吓！其实造个新中国也不难，只要各人都把靡费在家里面的力量充□公就好了！"他抱了这个主义，逢人便说。也□信的，也有不信的。

他到通商场，正逢日俄两国为着支那人的土地开战，一天总有许多警报到这通商场来。看这通商场的人，还是讨债的讨债，求人的求人，祭神的祭神，吃酒的吃酒，忙个不了，连那报纸都没有工夫看了。他问："忙什么？"人家都说："今天是除夕，明日是元旦，这是很大的节气啊！"他道："吓！地球绕太阳一周，算是一年，不知道是哪一天起的，这些三百六十五日里面，随便哪一天，都可以当除夕、当元旦的，今天就值得这样看重吗？况且闹的都是为一家起见，连那自己土地都送给别人作战场都不管，这真是家人罢了！要是有一天，从家人进一步到成了国人的资格，或者又有一天，从国人再进一步成了世界人的资格，有一番新局面，才可以有个新纪念啊！"他既然自己的思想与那外面的情形合不上来，他看着很不受用，长吁短叹的，跑回屋子里躺着了。

忽然听得很大的钟声，他就赶紧起来，跟着钟声的方向寻过去，寻到一所很大的会场，陆续有人进去。他到门口，就有人问他姓名，把册子一查，请他进去，里边坐位是按着黄河、扬子江、白河、西江的流域分的，不过是河东、河西、江南、江北这些名目。约略把那语言风俗相近的合作一块，没有现在分省的话。每一标题总有几千或几百人先坐在那里，还有随时进来的。忽然钟声停了，就见有个人跑到坛上演说道："我们在这里的人，都叫作中国人，我们那里配呢？我们意中自然有个中国，但我们现在不切切实实造起一个国来，怕永远没有机会了！譬如日俄两国，把满洲作战场，我们算是'局外'。将来英、德把长江几省作战场，我们也是'局外'；英法、英日把福建、广东作战场，我们也是'局外'，'局外'到底了，连造新国的材料都没有了，那时候才是真绝望哩！如今第一次的'局外'，我们先打破了，以后就无可援例了，此次局〈外〉中立的宣告，

何尝是我们的公意，不过几个糊涂东西，假冒我们的公意作的。现在世界自然还说不到全国一致，但多数人的主意总比少数人的主意强点。如今竟依着一两个人的主意，算作我们多数人主意，这仿佛一个店铺，被一个冒充管账的人，私造印章，把货物盗卖给别人，等到别人来取货了，众人都知道了，哪里能答应呢？但是我们要不过打个电报，作篇文章，是不中用的。一定要有实力，把这冒充管账逐了，还要与取货的评理。评理不下来，就要开战，开战也没有什么难处，要有当兵的人与那养兵的饷，还都是我们现成有的，不肯公出来罢了。所以不肯公出来的缘故，总是另外还有个家当，把他眼光打定了，看不到这个大家当啊！譬如一家人家，盗来打劫，就是把他们金银文契统统劫去，这些小孩子一定不着急，等到顶心爱的玩物要劫去了，他就拼命的要夺回来，殊不知道有了金银文契好买多多的玩物，兼且金银文契既然劫去，人也要饿死。哪里还能玩这玩物呢！如今爱家不爱国的，就是小孩子这般见识。况且他就明白一点，也说我就拼命，别人都坐视，仍然不中用。我就公财，反给别人作私财，我白白自家吃苦，所以不干啊！照此情形看来，并不能专说人心不好，实在有许多老法子，把他束缚住了！如今要把老法子统统去掉，另定一个章程：一个人出多少力，就受多少享用；不出力的，就没有享用。叫他那因果丝毫不差，那自然人人着力了。"说到这里，就有好几位干事发出许多小册子来，每人一册分给。坛上的人又说道："诸位都是各地方公举的代表人来议法的，如今我们提出这个议案，诸位赞成不赞成？"这位"中国一民"也恍恍惚惚记得他的家乡果有公举议员的事，他果是代表着来的，就把这册子细细看下去。里边应办的事分作五纲：

（一）调查。又分作两款：

第一款是地：如山向河流晴雨气候这些，如地皮的物产，地心的矿产和那水流，空气里边可以化分的材料。

第二款是人：这地方年在七岁以下者若干人，七岁至十六岁者若干人，二十四岁至四十八岁者若干人，四十八岁以上者若干人（岁数皆以生后历地绕太阳一周为一岁），已受教育与未受教育者各若干人，有职业与无职业者各若干人，聋哑瞽目废疾疯癫者各若干人。

（二）区划建筑。先划定铁道、航路，然后划种植场、畜牧场、学校、工厂、烹饪所、裁缝所、公众食堂、公园、医院、公众寝室、男女配偶室、孕妇胎教室、育婴院、养老院、盲哑学堂、盲哑废疾工厂、积货所、运货场、图书馆、歌舞场、议法院、统计所、公报馆、裁判所。

（三）职业。分作两款：

第一款，是普通职业，有变化原料的，如种植制造这些事；有移动货物的、如开矿运货这些事。从精神上用变化移动等手段的，如教育书报歌舞这些事。有专门除害的医疗裁判这些事。

（四）每人一生的课程。七岁以前是受抚养的时候，七岁到二十四岁是受教育的时候，二十四岁到四十八岁是作职业的时候，四十八岁以后是休养的时候（但休养时亦可兼任教育等事）。

（五）每人一日的课程。二十四时间，作工八时，饮食谈话游散八时，睡散八时。

其中还说各种方法，各种子目，各种变通的手段，都载在册子上面。各人看了一遍，那坛上的人问道："诸位都看过了，有看得不妥当的，请表明意见。"就有一个人站起来说道："这个办法是好极了，但现在各人作的职业，都是为自己利益，所以最辛苦、最艰难、最危险的事有人肯作，因为作成了，他的利益比各种职业都大啊。如今一个人只要有一个职业，那利益就是一样。哪个人不挑着容易的作！从此最辛苦、最艰难、最危险的事，没有人干了，世界就怕没有进步了。"坛上人说道："这倒不容虑，人的作工于他身体上、精神上不相宜了，才要偷懒。要是很相宜的，就硬阻止他也阻止不了。譬如眼是能看的，硬教他合着不看，可以吗？耳是能听的，硬教他按着不听，可以么？呼吸是肺的利益，鼻子偏替他作工，食物是胃的利益，口舌替他效劳。我们国里面有这几等作工的人，就同身体上五官四肢只要不误用，就好了。所以卫生部、教育部是最重要的，把身体上、精神上细细的检查，有从遗传性来的，有从习惯上来的。国里面有一种职业，总不怕没有相宜的人。至于工艺一门，最重的是制造机器。凡有危险的事，都可用机器代作，不过辛苦艰难是有的，照变通办法的条例，费力多的职业，每日并不必限定八时，这就不相妨了。"于是满场的人都拍手赞成。又有一个人站起来说道："事情是可以照办的，但怕现在还有点阻力，如从前在那里冒充管事的，与那有家私的不免执迷不悟，设法阻挠啊！"坛上人说道："诚然，但诸君都是代表公众的，诸君赞成了便是公众的意见。现在办事总是多数的压制少数的，要是有人为一己的私计

来阻挠公众的事业，这便是公敌了。古人说得好，'一家哭，何如一路哭'。我们也只好下点辣手了。现在各地方的无线电报，都已造成，诸君既已赞成，我们就电报各地方，设起统计所、裁判所来，一切事都好着手了。但现在外交上却有特别的办法，也可以请诸君斟酌斟酌"。于是干事又发出一套小册子来，里边说的，分作三款：

（一）恢复东三省：支那的兵并非不能战，他们不知道是为自己战，单算是替雇兵的人战，所以有"养兵千日，用兵一朝"，还有"朝廷不使饿兵"这些话。偏偏粮饷很薄，统领又要刻扣他，这是难怪他不肯拼命。便是统领明白点的，也还有许多人牵制他。如今牵制的是去掉了，昧心的统领也换掉了。他们见了新定的国法，知道这个土地即就是自己的产业，自己担任了当兵的职业，不但粮饷无忧，就是从前须牵挂的父母妻子，也不要自己瞎操心，还有不拼命的吗？兼且国法改变以后，马贼也来归附，居民都告奋勇，又有各地民兵，陆续可以接力，陆军势力很可打退俄兵。我们就应立刻与俄宣战。海军单靠几只老朽兵船，原不中用，但这时已有在英国海军卒业生回来，驾驶起来也可以捕拿俄国的商船，替日本作个声援。一面派外交家到日本订约，海战兵费统归我们济助，日本正苦经济困难，没有不乐受的。那就日本海战的功，我们分他一半了。一面派曾在俄国大学肄业的人，暗入俄国各地运动民党，推翻政府，三面夹攻，满洲还不能收回吗？

（二）消灭各国的势力范围：这件事，他们本来靠造铁路、开矿山两种手段。我们国法改变以后，国中的人彼此并没有尔我的分别，对了〔于〕外国，我国与尔国，到分得十分精细了。果然是外国人的资本，那就本地的小工都招不到一个，一面与那外人商量说："从前的合同，本不是文明办法，现在公众不答应，无可设法。"就还他资本，多贴利息。把从前的合同都废了。他们已经造的、开的，都用价购回了。

（三）撤去租界：国法既改，国中只有输运货物的一种职业，并无所谓营商。只有本国赢余的货物，要卖给外国人；国中缺少的东西，要向外国人买进，还有点通商的旧套。但也是一国公共的商店，与他们交涉。没有私人与他们营商的。他国人来往的货物，差不多每年都有定数，外商没有竞争的路。况且租界上住的支那人，不是回家乡，就是联合自己同国的人，照那国法办起来，只要有点力气，不愁没有事业，就不愁没有衣食。

哪里还肯作买办、作通事、作西崽,仰外人的鼻息呢!外国人既不来,支那人文明程度又高了,外国领事竟没事可办。况且支那人在外国的,除了留学、游历与外交三项,知道新中国的国法,不是也照国法办,就是回国。在外国的领事,都用不着了。照这许多的方面来看,外国还能留个领事来占着租界吗?我们也就给他几个钱,把租界赎回来。以后外国,除了游历、外交两项人外,那就要遵我们的国法,才准他住哩。

各人看了这几条,就有人站起来说道:"他们外国人是讲强权,不讲公理的。对付俄国的法,倒罢了。后面两条,他们就执着从前的条约,说是你不承认接续下去,他们就不认你为国,就趁机会用兵力来压制,这什么好呢?"坛上人说道:"这一层,我们也虑到,要讲军人,我们的纯乎爱国心,他们的不过一半爱国心;讲技艺,我们有德国陆军学卒业生若干人,英国海军学卒业生若干人,他们各人都有练成党徒若干人,不怕落人后了。枪炮弹药我们从前预备的,与新制造的,也还够用。就是没有兵舰,自己虽有能造的人,怕赶不上。到外国去购,又是与俄国开战的时候,也办不到。打算派人到各国大厂,把他们将要造成的用重价购定,同日本购春日、日进的样子,到战事一了,就驶回来;要是再赶不上,那就没有法子。只好用点辣手了。现在我们造的水底潜行舰,空中飞行艇,不到三个月,就可用了,他们战舰来的时候,我们或从水底骤放潜雷,或从空中猛掷炸药,他们虽有多多铁甲,也都化作齑粉了。但此法太狠,他们舰中的人,一个不能生活。只好临时应应急罢了。平日我们还是主张用陆海军彼此攻击,伤人较少,所以特别课程,还有当兵一门啊!"说完了,又有一个人站着说道:"法子是都有了,我还怕一层,照这样办法,要花好多的钱,我们现在还赔款,行新法,不是处处都说没有钱,到处搜刮,还搜刮不出来么?如今又要助饷,又要购船,又要赎租界,这个钱止〔至〕少就是几千兆,请教你往那里筹呀?"坛上人说:"我们支那人并不穷,有许多人藏着钱,不肯拿出来归公中用,反要把公中的钱刮回家里去,公中不够用了,专向穷人搜刮,所以显得穷了,如今且阁着物产矿产不算,先将拿出来就可作钱用的说,凡有这些冒充管事的,号称富人的,他们藏在家里,窖在地中,存在外国银行,这些钱统统计算起来,照四百兆人匀派起来,虽然不能照英国的每人派到二千八百五十四元,或美国的二千二百八十二元,但是俄国的每人五百五十二元,日本的每人二百三十

九元，我们总不见得比不上。那就不是五千垓，也就一千多垓。照现在的国法，国里面用不着金钱，这些钱都用在外交上面，还怕不够么？"大家一想，果然有这个道理，就都表明赞成的意思。那个人就点首下坛。另有一个干事登坛声明，国法业已决议，就是此时散会。那会员就陆陆续续的散去。

这位"一民"先生也就出来了。他也忘了本来的寓所，随信步出去，不知不觉的到了一地，见有一所大房子，是题着中国各地方议员寓所，里面也是按着议场的区域分的，每一区域里面都有公园、食堂、寝室、书楼、阅报室、谈话室。这些与那小册子上说的差不多。便是议员在这时候，每日讨议国事，就是他的职业。所以有个讨议所。他的外面都有无线电报可以通到地方上统计所的，就渐渐得到各地方电报，报道新定的国法上，中流人是不用说的了，就是下等社会，他因为有许多小说、唱本、演说坛、戏院，都就他们平日顶羡慕的，顶嫌恶的，顶忧愁的，顶怕惧的，反反复复比较苦乐，联合因果，就他们知识，发见有一线光明的门径，尽力的感动他。又先造个模范村，先教上流最明白的人实行起来，给他们看，所以也没有一个人不赞成了。止有几个冒充管事的、向称富翁的，同发狂一样，硬要设法阻挠，开导他，也不理会。就在地方议会评品起来，断定是有罪。送个状子到裁判所去，等接到裁判所定罪的复书，各地街市就都揭着某人有某罪，即击死的宣告了。那时候某人也就立刻被雷击死，身上也印着"某罪某刑"这几个字，真是同俗间传说的雷公击人一样。这全是裁判所驾驭电气的手段，他没有定罪的时候查察很详细。也有情节可疑，与议会驳辨的，等到定罪就立刻宣告，立刻动刑，兼且神出鬼没，防也没法防，躲也没处躲，初初一个人死了，还说是偶然的；等到两个三个都是这个样子，那些反对党真是住在空屋子里，还是十目视他十手指他的样子，惶恐的了不得。听说守法的人，实在快乐，也就慢慢的投降了。统计从北到南，曾受死刑的也不过一二百人。因为内中有几个是顶有名的阔老，平日巴结他的、保护他的不知有多少人。等到裁判所定罪之后，竟没法免死，所以感化的很快，不到一年竟作到全国一心。一切办事都是水到渠成，瓜熟蒂落。那些预定的事，竟是如心如意的办下去。这是说他究竟的话。并不是这位"一民"先生整年住在寓所，都从电报上得这种消息啊。因为"一民"先生从第一次会议后，不多几日，就被派到俄国运动民党。那个议员的位置，地方别举人补了。俄国的事，果然不出所料，在几个月内，他们民党也全胜了，满洲也收回了。

"一民"先生从俄国回来，就在他的家乡所设工厂办事。那时候因外交上第二、第三的两件事，果然有好几国不答应。他们平日看着支那这片大陆温和丰富，真同天国一般。住在上面，又是些劣等动物，好像犬马牛羊，不是替人代劳，就是受人宰割，只知道自己队里，你咬我，我咬你，从没有抵挡外人的力量。又巧巧碰着有一种冒充管事的人，好替他们作个牵犬马的绳子，宰牛羊的刀子，很受他们使唤，他们还有不趁这现成的么！不意事不凑巧，这些下等动物，竟能把绳子、刀子都毁坏了，竟自己想把个天国保守起来，他们那里甘心，内中只有俄国的民党，也是从绳子、刀子底下过来，新近脱了难，报了仇。自己像称心纵意的办起事来。究是公理战胜的时候，办的事情与我们新中国竟是闭门造车，出门合辙，他就先承认我们新国了。美国是民权最重，也就承认，其余各国不是有世袭的皇帝，就是有骄贵的政党，他们总舍不得这片好地方，想支那人是最怕受不忠、不孝、大逆不道这些名目。要是硬派着这种罪名了，就杀了他、剁了他，他还要三跪九叩头的谢恩。况且替他皇帝报仇，就可以作他们皇帝，这是有旧例的。我〔他〕们看着这个好瓜，几次商量着剖分了，如今是机会了；他们又迷信了一种旧话说，军事是要专制的才会强，如今新中国讲共和，讲平等，讲到这个地步，这还有什么兵力，放心打他便了。于是各国约定日期，各统海陆军分道并进，海军有向香港的，有向厦门的，有向定海或上海的，有向燕〔烟〕台或天津或旅顺的；陆军有从朝鲜一面来的，有从印度一面来的，有从安南一边来的，或是一国单行，或是两三国联合，东鸣西应，真个展旗蔽日，植槊成林，比那战国时候，六国的合纵攻秦，与西历千八百十四年的联军破法，还要热闹。这一片支那大陆，定归要踏成白地了。哪知道真金不怕火，竟不是讲多少的，大凡开战时候，守的本来比攻的容易，就只怕有奸细漏泄军情。这时候中国的人，就把中国作为自己的灵魂，除了这个，没有再找权利的地方，哪里肯损害他一点呢！所以外国人用尽方法，想买个奸细，一个都买不出。连想买张详细地图，都不能到手。我们什么布置，他们竟一点不知道。他们外国，不论什么文明，总还是在生计竞争的圈子里，我们有的是钱，买通几个高等奸细，把他们怎样调度，怎样进军，都知道详细了。各地陆军交

战,一则攻守势异,二则爱国心的程度不同,来的没有不打退的。海军呢,他们昼用远镜、夜用电光,不时四处探查。兼用灭鱼雷船在前试探,除了炮台上有几个守兵外,都没有什么。就放心进着港口去了。但等到与炮台上炮火相交以后,就不是半天坠来个霹雳,便是舰底着了鱼雷,没有一舰不击沉的,所以要等炮火相交,才下辣手。这可见事出不忍,为防护自己,不得不然了。他们既然买不到奸细,竟不知道我们的底细。后来经战线外的船上用远镜测见,又从被轰的地位与时候推想起来,也就知道是这两种机械。想抵制的法子,就想得出,一时也造不成,只好率几只残舰避开去了。

各国的海陆军,既然被中国击败。把从前叫作势力范围的,统统消灭了。兼且从前占去的地方,也统统收回了。中国竟又要锁港了,他们外国那里甘心,就在德国京城柏林开个大会,商量打破中国的法子,都说:"中国的国民爱国心这么纯粹,怕没有法子打他,不如大家罢手与他讲和,还可以沾点通商的利益。"决定以后,就由俄、美两国介绍,与我们议和约。我们虽然战胜,但并不要借此占便宜,趁着各国军备零落的时候,就提出弭兵会的宗旨来。请设一万国公法裁判所,练世界军若干队。裁判员与军人皆按各国户口派定。国中除警察兵外,不得别设军备,两国有龃龉的事,悉由裁判所公断。有不从的,就用世界军打他,国中民人有与政府不合的事,亦可到裁判所控诉。那时候各国听中国的话,同天语一样。又添着俄、美两国的势力,没有敢不从的。既定了约,就立刻照办起来。从此各国竟没有战事,民间渐渐儿康乐起来,那中国人的康乐,自然更高几倍了。偶然想出个新法子,寻出个新利源,就大家合力的办法。从前那些经费不敷、人材不足的弊病都没有了。所以文明的事业达到极顶。讲到风俗道德上面,那时候没有什么姓名,都用号数编的。没有君臣的名目,办事倒很有条理,没有推诿的摩糊的。没有父子的名目,小的到统统有人教他;老的统统有人养他;病的统统有人医他。没有夫妇的名目,而个人合意了,光明正大的在公园里订定,应着时候到配偶室去,并没有男子狎娼、妇人偷汉这种暧昧事情。初初定了强奸的律,最重犯的处死。又有懒惰的罚,如不准游散、酌减食物等例。后来竟没有人犯的,竟把这种律例废掉了,裁判所也撤了。国内铁道四通。又省了许多你的、我的那些分别词,善、恶、恩、怨等类的形容词,那骂詈恶谑的话更自然没有了。交通又便，语言又简，一国的语言统统划一了；那时候造了一种新字，又可拼音，又可会意，一学就会；又用着言文一致的文体著书印报，记的是顶新的学理，顶美的风俗，无论哪一国的人都欢喜看，又贪着文字的容易学，几乎没有一个人不学的。从文字上养成思想，又从思想上发到实事。第一是俄国，第二是美国，后来传到印度，传到澳洲，又传遍亚、欧、非、美各国，不到六十年，竟把这个新法传遍五洲了。大家商量开一个大会，想把这些国□都消灭了，把那个虚设的万国公法裁判所、世界军也废掉了，立一个胜自然会，因为人类没有互相争斗的事了，大家协力的同自然争，要叫雨晴寒暑都听人类指使，更要排驭空气，到星球上去殖民，这才是地球上人类竞争心的归宿呢。这个大会的日期，恰恰选着后一个甲辰年的正月一日，这位中国"一民"先生已经九十多岁了。这一天预备着要去赴会，遇着一位朋友，他因为志愿已达，高兴的了不得，刚要对着朋友道喜，忽然又听得很大的钟声，竟把他惊醒了。他是在梦里对着那个朋友。所以在这个黑暗世界，还要说道：公喜！公喜！新年了，到新世界了。

告 全 国 文

(一九一二年三月十一日)

培等为欢迎袁大总统而来,而备承津、京诸同胞之欢迎,感谢无已。南行在即,不及一一与诸君话别,敬撮记培等近日经过之历史以告诸君,托于临别赠言之义。

(一) 欢迎新选大总统袁公之理由 自清帝辞位,大总统孙公辞职于参议院,且推荐袁公为候选大总统。参议院行正式选举,袁公当选,于是孙公代表参议院及临时政府,命培等十人欢迎袁公莅南京就职。袁公当莅南京就临时大总统职,为法理上不可破之条件;盖以立法、行政之机关,与被选大总统之个人较,机关为主体,而个人为客体,故以个人就机关则可,而以机关就个人则大不可。且当专制、共和之过渡时代,当事者苟轻违法理,有以个人凌躐机关之行动,则涉专制时代朕即国家之嫌疑,而足以激起热心共和者之反对。故袁公之就职于南京,准之理论,按之时局,实为神圣不可侵犯之条件,而培等欢迎之目的,专属于是,与其他建都问题及临时政府地点问题,均了无关系者也。

(二) 袁公之决心 培等二十七日到北京即见袁公,二十八日又为谈话会,袁公始终无不能南行之语。且于此两日间,与各统制及民政首领商留守之人,会诸君尚皆谦让未遑,故行期不能骤定也。

(三) 京津之舆论 培等自天津而北京,各团体之代表,各军队之长官,及多数政治界之人物,或面谈,或投以函电,大抵于袁公南行就职之举,甚为轻视。或谓之仪文,或谓之少数人之意见(其间有极离奇者,至以小人之腹度君子之心,只可一笑置之)。而所谓袁公不可离京之理由,则大率牵合临时政府地点,或且并迁都问题而混入之,如所谓藩属、外交、财政等种种关系是也。其与本问题有直接关系者,唯北方人心未定一义;然以袁公之威望与其旧部将士之忠义,方清摄政王解职及清帝辞位至危疑之时期,尚能震慑全京,不丧匕鬯,至于今日,复何疑虑?且袁公万能,为北方商民所公认,苟袁公内断于心,定期南下,则其所为布置者,必有足以安京、津之人心,而毋庸过虑。故培等一方面以京、津舆论电达南京备参考之资料,而一方面仍静俟袁公之布置。

(四)二月二十九日兵变以后之情形　无何而有二月二十九日夜中之兵变,三月一日之夜又继之,且蔓延保定、天津一带。夫此数日间,袁公未尝离京也,袁公最亲信之将士,在北京自若也;而忽有此意外之变乱,足以证明袁公离京与否,与保持北方秩序,非有密切不可离之关系。然自有此变,而军队之调度,外交之应付,种种困难,急待鳃理,袁公一日万几〔机〕,势难暂置,于是不得不与南京政府协商一变通之办法。

(五)变通之办法　总统就职于政府,神圣不可侵犯之条件也;临时统一政府之组织,不可以旦夕缓也;而袁公际此时会,万不能即日南下,则又事实之不可破者也。于是袁公提议,请副总统黎公代赴南京受职。然黎公之不能离武昌,犹袁公之不能离北京也。于是孙公提议于参议院,经参议院决议者,为袁公以电宣誓,而即在北京就职,其办法六条如麻电。由是袁公不必南行,而受职之式不违法理,临时统一政府,又可以速立,对于今日之时局,诚可谓一举而备三善者矣。

(六)培等终局之目的及未来之希望　培等此行,为欢迎袁公赴南京就职也。袁公未就职,不能组织统一政府;袁公不按法理就职,而苟焉组织政府,是谓形式之统一,而非精神之统一。是故欢迎袁公,我等直接之目的也;谋全国精神上之统一,培等间接之目的也。今也袁公虽不能于就职以前躬赴南京,而以最后之变通办法观之,则袁公之尊重法理,孙公之大公无我,参议院诸公之持大局而破成见,足代表大多数国民,既皆昭揭于天下;其至少数抱猜忌之见,腾谰间之口者,皆将为太和所同化,而无

复纤翳之留。于是培等直接目的之不达，虽不敢轻告无罪，而间接目的所谓全国精神上之统一者，既以全国同胞心理之孚感而毕达，而培等亦得躬逢其盛，与有幸焉。唯是民国初建，百废具举，尤望全国同胞永远以统一之精神对待之，则培等敢掬我全国同胞之齐心同愿者以为祝曰：中华民国万岁！

徐锡麟墓表

（一九一二年九月）

有明之亡，集义师，凭孤城，以与异族相抗者，于浙为最烈；而文字之狱，亦甲于诸省。故光复之思想，数百年未沫。自晚村以至定人盦，其间虽未有伟大之著作为吾人所发见，而要其绵绵不绝之思潮，则人人得而心摹之。

在所见世以言论鼓吹光复者，莫如余杭章先生炳麟；而实力准备者，莫如山阴徐先生锡麟，及会稽陶先生成章。顾章、陶两先生，皆及见清帝之退位，中华民国之成立；而徐先生乃于前五年赍志以没。其没也，又为光复史中构造一最重大之纪念，此后死者之所以尤凭吊流连而不能自已者也。

徐先生，字伯荪，浙江山阴人也。少时，治算学及天文学，廓然有感于因果之定律，宇宙之溥博而悠久，他日杀身成仁之决心，托始于是矣。其后，为家庭教师，以光复大义授弟子许克丞。继为绍兴中学堂教习，以尚武主义为学生倡，并以时涉历诸暨、嵊诸县，交其健者，以大义运动之。及至上海，由蔡元培、元康昆弟之介绍，而与陶成章合。成章方以嘉兴敖嘉熊、龚国铨诸志士之倾助，而奔走金华、衢、严诸府，运动其秘密会党，有成议。两先生既成交，浙江诸会党有统一之机。于是相率至绍兴，谋以绍兴为根据地，施军事教育，为革命军预备。许克丞愿任经费设武备学堂，格于例不果；乃设大通师范学堂，凡浙东秘密会党诸魁桀，皆以是为交通总机关，各遣其相当之徒属就学焉。公然陈武装，演说革命，乡里窃窃然议之，而先生善交欢清吏，得无恙；然亦于其间积种种经验，知不唯绍兴，即浙江一隅，亦未足以大举。乃由许克丞出资，为先生及成

章、鼎铨、陈子英分别捐道员若知府，相率赴日本，学陆军，定议毕业后捐请分发重要都会，揽其兵柄。无何，试验不及格，均不克入联队。

先生先返，偕克丞以道员赴湖北，以其地占全国形势，而练军亦较他省为精劲，可利用。时湖北适停分发，乃赴安徽。初主陆军小学；逾年，称主巡警学堂。安徽故多会党，即练军亦间有具新思想者。先生既至，颇欲从容布置，谋定而后动；会女侠秋瑾偕嵊县平阳党魁祝兆康、王镜发等驰书促举事；陶成章在日本亦数数相责备；而巡抚恩铭又微露疑先生意；先生乃与同志陈伯平、马家汉谋，乘五月二十八日举行巡警生毕业式，诸大吏毕集，尽杀之，以乱军心；亦檄召浙江诸豪刻期会安庆。无何，恩铭令改期，以二十六日至。先生不及俟援军，及期，出手枪击恩铭，死之；他吏散走。先生率巡警生百余人占军械局，为敌兵所击散，先生被执。清吏搜先生室，得布告，有云："与我同胞，共复旧业，重建新国，图共和之幸福。"及被鞫，而宣言则又谓：革命人人可能，若以中央集权为立宪，立宪愈快，革命亦愈快。越五年，而其言皆验矣。二十七日，清吏杀先生，刳其心以祭恩铭，而稿葬之。及中华民国成立，先生之弟锡□、锡骥等，始克迎先生之榇以归里。元年九月，葬诸西湖之瑛，同里蔡元培，于先生为同志，爰表先生之大节于墓前，以告下马而展谒者，使知吾辈之自由幸福，得诸徐先生之赐者，殊非浅鲜焉。

黑暗与光明的消长
——在北京天安门举行庆祝协约国胜利大会上的演说词

（一九一八年十一月十五日）

我们为什么开这个演说大会？因为大学职员的责任，并不是专教几个学生，更要设法给人人都受一点大学的教育，在外国叫作平民大学。这一回的演说会，就是我国平民大学的起点！

但我们的演说大会，何以开在这个时候呢？现在正是协约国战胜德国的消息传来，北京的人都高兴的了不得。请教为什么要这样高兴？怕有许多人答不上来。所以我们趁此机会，同大家说说高兴的缘故。

诸君不记得波斯拜火教的起原么？他用黑暗来比一切有害于人类的事，用光明来比一切有益于人类的事。所以说世界上有黑暗的神与光明的神相斗，光明必占胜利。这真是世界进化的状态。但是黑暗与光明，程度有浅深，范围也有大小。譬如北京道路，从前没有路灯。行路的人，必要手持纸灯。那时候光明的程度很浅，范围很小。后来有公设的煤油灯，就进一步了。近来有电灯、汽灯，光明的程度更高了，范围更广了。世界的进化也如此。距今一百三十年前的法国大革命，把国内政治上一切不平等黑暗主义都消灭了。现在世界大战争的结果，协约国占了胜利，定要把国际间一切不平等的黑暗主义都消灭了，别用光明主义来代他。所以全世界的人，除了德、奥的贵族以外，没有不高兴的。请提出几个交换的主义作个例证：

第一是黑暗的强权论消灭，光明的互助论发展　从陆谟克、达尔文等发明生物进化论后，就演出两种主义：一是说生物的进化，全恃互竞，弱的竞不过，就被淘汰了，凡是存的，都是强的。所以世界止有强权，没有

公理。一是说生物的进化,全恃互助,无论怎么强,要是孤立了,没有不失败的。但看地底发见的大鸟大兽的骨,他们生存时何尝不强,但久已灭种了。无论怎么弱,要是合群互助,没有不能支持的。但看蜂蚁,也算比较的弱极了,现在全世界都有这两种动物。可见生物进化,恃互助,不恃强权。此次大战,德国是强权论代表。协商国,互相协商,抵抗德国,是互助论的代表。德国失败了。协商国胜利了。此后人人都信仰互助论,排斥强权论了。

第二是阴谋派消灭,正义派发展 德国从拿破仑时受军备限制,创为更番操练的方法,得了全国皆兵的效果。一战胜奥,再战胜法。这是已往时代,彼此都恃阴谋,不恃正义,自然阴谋程度较高的占胜了。但德国竟因此抱了个阴谋万能的迷信,遍布密探。凡德国人在他国作商人的,都负有侦探的义务。旅馆的侍者,菌圃的装置,是最著名的了。德国恃有此等侦探,把各国政策军备,都知道详细,随时密制那相当的大炮、潜艇、飞艇、飞机等,自以为所向无敌了,遂敢唾弃正义,斥条约为废纸,横行无忌。不意破坏比利时中立后,英国立刻与之宣战。宣告无限制潜艇政策后,美国又与之宣战。其他中立等国,也陆续加入协商国中。德国因寡助的缺点,空费了四十年的预备,终归失败。从此人人知道阴谋的时代早已过去,正义的力量真是万能了。

第三是武断主义消灭,平民主义发展 从美国独立、法国革命后,世界已增了许多共和国。国民虽知道共和国的幸福,然野心的政治家,很嫌他不便。他们看着各共和国中,法、美两国最大,但是这两国的军备都不及德国的强盛,两国的外交,又不及俄国的活泼。遂杜撰一个"开明专制"的名词,说是国际间存立的要素,全恃军备与外交。军备与外交,全恃武断的政府。此后世界全在德系、俄系的掌握。共和国的首领者法若美且站不住,别的更不容说了。不意开战以后,俄国的战斗力,乃远不及法国。转因外交狡猾的缘故,貌亲英、法,阴实亲德,激成国民的反动,推倒皇室,改为共和国了。德国虽然多挣了几年,现在因军事的失败,喝破国民崇拜皇室的迷信,也起革命,要改共和国了。法国是大战争的当冲,美国是最新的后援,共和国的军队,便是胜利的要素。法国、美国都说是为正义人道而战,所以能结合十个协商的国,自俄国外,虽受了德国种种的诱惑,从没有单独讲和的。共和国的外交,也是这一回胜利的要素。现在美总统提出的十四条，有限制军备、公开外交等项，就要把德系、俄系的政策根本取消。这就是武断主义的末日，平民主义的新纪元了。

第四是黑暗的种族偏见消灭，大同主义发展　野蛮人止知有自己的家庭，见异族的人同禽兽一样，所以有食人的风俗。文化渐进，眼界渐宽，始有人类平等的观念。但是劣根性尚未消尽，德国人尤甚。他们看有色人种不能与白色人种平等，所以唱黄祸论，行"铁拳"政策。看犹太、波兰等民族不能与亚利安民族平等，所以限制他人权。彼等又看拉丁民族、盎格鲁撒克逊民族又不能与日耳曼民族平等，所以唱"德意志超过一切"，想先管理全欧，然后管理全世界。此次大战争，便是这等迷信酿成的。现今不是已经失败了么？更看协商国一方面，不但白种的各民族，团结一致，便是黄人、黑人也都加入战团，或尽力战争需要的工作。义务平等，所以权利也渐渐平等。如爱兰的自治，波兰的恢复，印度民权的申张，美境黑人权利的提高，都已成了问题。美总统所提出的民族自决主义，更可包括一切。现今不是已占胜利了吗？这岂不是大同主义发展的机会么？

世界的大势已到这个程度，我们不能逃在这个世界以外，自然随大势而趋了。我希望国内持强权论的，崇拜武断主义的，好弄阴谋的，执着偏见想用一派势力统治全国的，都快快抛弃了这种黑暗主义，向光明方面去啊！

劳工神圣
——在北京天安门举行庆祝协约国胜利大会上的演说词

（一九一八年十一月十六日）

诸君！

此次世界大战争，协商国竟得最后胜利，可以消灭种种黑暗的主义，发展种种光明的主义。我昨日曾经说过，可见此次战争的价值了。但是我们四万万同胞，直接加入的，除了在法国的十五万华工，还有什么人！这不算怪事！此后的世界，全是劳工的世界呵！

我说的劳工，不但是金工、木工等等，凡用自己的劳力作成有益他人的事业，不管他用的是体力、是脑力，都是劳工。所以农是种植的工，商是转运的工，学校职员、著述家、发明家，是教育的工，我们都是劳工。我们要自己认识劳工的价值。劳工神圣！

我们不要羡慕那凭借遗产的纨绔儿！不要羡慕那卖国营私的官吏！不要羡慕那克扣军饷的军官！不要羡慕那操纵票价的商人！不要羡慕那领干修的顾问谘议！不要羡慕那出售选举票的议员！他们虽然奢侈点，但是良心上不及我们的平安多了。我们要认清我们的价值。劳工神圣！

不肯再任北大校长的宣言

（一九一九年六月十五日）

（一）我绝对不能再作那政府任命的校长：为了北京大学校长是简任职，是半官僚性质，便生出许多官僚的关系，那里用呈，那里用咨，天天有一大堆无聊的照例的公牍。要是稍微破点例，就要呈请教育部，候他批准。什么大学文、理科叫作本科的问题，文、理合办的问题，选科制的问题，甚而小到法科暂省学长的问题，附设中学的问题，都要经那拘文牵义的部员来斟酌。甚而部里还常常派了什么一知半解的部员来视察，他报告了，还要发几个训令来训饬几句。我是个痛恶官僚的人，能甘心仰这些官僚的鼻息么？我将进北京大学的时候，没有想到这一层，所以两年有半，天天受这个苦痛。现在苦痛受足了，好容易脱离了，难道还肯投入去么？

（二）我绝对不能再作不自由的大学校长：思想自由，是世界大学的通例。德意志帝政时代，是世界著名开明专制的国，他的大学何等自由。那美、法等国，更不必说了。北京大学，向来受旧思想的拘束，是很不自由的。我进去了，想稍稍开点风气，请了几个比较的有点新思想的人，提倡点新的学理，发布点新的印刷品，用世界的新思想来比较，用我的理想来批评，还算是半新的。在新的一方面偶有点儿沾沾自喜的，我还觉得好笑。哪知道旧的一方面，看了这点半新的，就算"洪水猛兽"一样了。又不能用正当的辩论法来辩论，鬼鬼祟祟，想借着强权来干涉。于是教育部来干涉了，国务院来干涉了，甚而什么参议院也来干涉了，世界有这种不自由的大学吗？还要我去充这种大学的校长吗？

（三）我绝对不能再到北京的学校任校长：北京是个臭虫窠（这是民国元年袁项城所送的徽号，所以他那时候虽不肯到南京去，却有移政府到

南苑去的计划）。无论何等高尚的人物，无论何等高尚的事业，一到北京，便都染了点臭虫的气味。我已经染了两年有半了，好容易逃到故乡的西湖、鉴湖，把那个臭气味淘洗净了。难道还要我再作逐臭之夫，再去尝尝这气味么？

我想有人见了我这一段的话，一定要把"我不入地狱，谁入地狱"的话来劝勉我。但是我现在实在没有到佛说这句话的时候的程度，所以只好谨谢不敏了。

洪水与猛兽

（一九二〇年四月一日）

　　两千二百年前，中国有个哲学家孟轲，他说国家的历史，常是"一乱一治"的。他说第一次大乱，是四千二百年前的洪水；第二次大乱，是三千年前的猛兽。后来说到他那时候的大乱，是杨朱、墨翟的学说。他又把自己的距杨墨，比较禹的抑洪水，周公的驱猛兽。所以崇奉他的人，就说杨墨之害，甚于洪水猛兽。后来一个学者，要是攻击别种学说，总是袭用"甚于洪水猛兽"这句话。譬如唐宋儒家攻击佛老，用他；清朝程朱派攻击陆王派，也用他；现在旧派攻击新派，也用他。

　　我以为用洪水来比新思潮，很有几分相像。他的来势很勇猛，把旧日的习惯冲破了，总有一部人感受痛苦；仿佛水源太旺，旧有的河槽，不能容受他，就泛滥岸上，把田庐都扫荡了。对付洪水，要是如鲧的用湮法，便愈湮愈决，不可收拾。所以禹改用导法，这些水归了江河，不但无害，反有灌溉之利了。对付新思潮，也要舍湮法，用导法，让他自由发展，定是有利无害的。孟氏称"禹之治水，行其所无事"，这正是旧派对付新派的好方法。

　　至于猛兽，恰好作军阀的写照。孟氏引公明仪的话："庖有肥肉，厩有肥马，民有饥色，野有饿莩，此率兽而食人也。"现在军阀的要人，都有几百万、几千万的家产，奢侈的了不得；别种好好作工的人，穷的饿死，这不是率兽食人的样子么？现在天津、北京的军人，受了要人的指使，乱打爱国的青年，岂不明明是猛兽的派头么？

　　所以中国现在的状况，可算是洪水与猛兽竞争。要是有人能把猛兽驯服了，来帮同疏导洪水，那中国就立刻太平了。

五四运动最重要的纪念

（一九二二年五月四日）

五四运动，为的是山东问题。山东问题，现在总算告一段落，但是运动的结果，还不能算圆满。必要集股赎路，确有成绩，把胶济路很简单的赎回，其他问题，自然"迎刃而解"了。所以集股赎路是我们最重要的纪念，大家不可不努力。

我常常对人说，五四运动以后，学生有两种觉悟是最可宝贵的：一是自己觉得学问不足，所以自动的用功；二是觉得教育不普及的苦痛，所以尽力于平民教育。这两种觉悟，三年来，很见得与前不同；不能不算是五四运动的纪念。

自动的用功、平民教育，能实行两件或分占了一件，都是不辜负五四运动了。但实行两件或分占一件的究竟有若干人呢？随班听讲，以得到毕业证书为最大目的，现在已经没有这种人了么？听讲以外，听听戏，打打扑克，把时间消遣去了；不肯在公益上尽点义务；现在已经没有这种人了么？怕不但不是没有，而且还是很多。难道五四运动，止要一部分的人作纪念就够了吗？

而且现在又是一个特别的时期。

北京国立各校，安徽、江西、湖南等省公立各校，常常为经费问题，闹罢课。不是学生个个觉悟，都能自动的用功，不常要失学么？

现在北京日日听炮声了。北京、保定、天津左近这些地方，已不知流了多少血，死了多少人了。为什么？为几个人争地盘罢了。为什么这些当兵的这么傻，牺牲自己的生命，牺牲许多平民的生命与财产，去替一两个人争地盘。没有受过教育罢了。我们还不觉到平民教育的范围，现在是很小很小，不可不竭力扩张么？

我觉得五四运动，用不着许多夸张的纪念，止要把三件重要的竭力进行：

（一）广集赎回胶济路的股款。

（二）自动的用功。

（三）扩充平民教育。

孙逸仙先生传略
——在里昂举行的孙中山追悼会致词

（一九二五年四月十九日）

在外国搜集材料颇难，仅据所见所闻之荦荦大者记之，俟他日补正。

先生名文，逸仙其字也，又号中山。民国纪元前四十七年，生于广东省之香山县。年十三，在私塾肄业，闻人说洪秀全逸事，为之感动，即立志革命。其后赴夏威夷（Honolulu），进耶稣教会学校。寻归广东，入博济医学校，识同学郑士民、士良。士良夙入会党，闻先生谈革命，甚悦服，愿于起事时率会党候指挥。是为先生运动革命之始，亦即与会党关系之始。

翌年，先生转学于香港医学校，常往来香港、澳门间，鼓吹革命。毕业后，行医于澳门及广州。图实行革命，与同志陆皓东游京津，经武汉，观察形势。民元前十三年，清政府与日本开战，先生以为有机可乘，赴夏威夷，设兴中会。旋归国，往来广州、香港间，布置攻取广州之计划。翌年七月，事泄，同志多被捕，先生脱险，赴日本，复往夏威夷，往美洲，推广兴中会。美洲华侨多立有洪门会馆。洪门会者，倡自明末清初，本以反清复明为宗旨，而以互助为联合法。积久，则满意于互助之益，而革命宗旨，几不复在记忆中。先生与同志多方提醒，而会众始觉悟，愿受先生指挥。

先生由美至英，为清使龚照屿诱入使馆而拘留之，赖香港医学校旧教习康德黎之营救而得脱。

先生留欧洲二年，考察各国政治风俗，始悟富强之国，人民尚多痛苦。从前于排斥异族政府外，虽已决定采用共和制，而于最新之社会主义，尚未暇顾及。至是始感其必要，乃于民族、民权两主义外，复采取民生主义，而三民主义之计划始定。

复赴日本，遣同志陈少白回香港，发行《中国报》，鼓吹革命，是为中国革命党机关报之始。遣史坚如入长江联络会党，而郑士良则在香港设会党招待所。于是长江各省及广东、广西、福建之会党，均并合于兴中会矣。

会清廷信用义和团，与列强开衅。先生以为机不可失，乃遣郑士良率会党攻惠州，史坚如入广州与之响应。士良叠克数城，以援绝失败；而坚如谋炸两广总督署，以事泄见戕。然国内有志者受刺激渐深刻，以言论反对清政府，或在各省起事者渐多。事败，苟不被戕害或拘留，则大率亡命至日本，间亦至欧美，仍努力传播革命主义，信从者日众。先生知事机渐熟，于是游历各国，揭橥所抱之三民主义以号召之，而组织革命同盟会，开第一会于拨鲁塞尔，加盟者三十余人。开第二会于柏林，加盟者二十余人。开第三会于巴黎，加盟者十余人。开第四会于日本之东京，加盟者数百人，自甘肃而外，十七省之士皆与焉。于是定中华民国之名称，公布于党员，使传布主义于本省。不期年而加盟者逾万人，各省亦先后成支部焉。于是在东京发行《民报》，是为革命党机关杂志之始。

民元前五年，革命同盟会会员刘道一、宁调元、胡英等在萍乡、醴陆〔陵〕间起事，为清军所破。清政府与日本政府交涉，排斥先生，先生乃往安南，自河内遣同志攻潮州、黄冈，不利。攻惠州，攻钦州、廉州、均不利。先生又亲率同志袭取镇南关，图攻龙州，又不利，退回安南。清政府与法政府交涉，排斥先生，先生乃往新加坡。遣黄兴等攻钦、廉，遣黄明堂等攻河口，又不利，先生乃往美洲筹款。同志有运动广州新军举事者，事泄，又不利。先生亟自美洲赴日本，被侦悉，不准居留，乃赴槟榔屿。

民前一年三月，会中知名之士，均潜入广州，于二十九日奋攻总督署，卒不胜，仅一二人得脱，而被戕者七十二人，所谓七十二烈士者也，义声震于全国。

当是时，先生三十年间所传播之革命思想，已弥漫各省，凡新式军队亦多表同情；重以广州一役之激刺，则热度陡增。及八月间武昌起义，各省次第响应，而清室遂以颠覆。先生所提倡之民族主义，于是实现。且以

先生于鼓吹民族主义时，同时标举民权，而早定中华民国之名称，故革命功成，人人不复作汉族立君之梦想，而群凑于民国之一鹄。各省代表之会于南京者，遂选举先生为中华民国临时总统焉。

先生自美洲归，则于阳历一月一日就职，即废除阴历，而以是年为民国元年，建设临时政府。及清帝退位，先生即辞临时总统之职，而袁世凯继之。

先生尝预定革命方略，曰：规律革命进行之时期为三：第一军政时期，第二训政时期，第三宪政时期。

第一为破坏时期，拟在此时期内，施行军法，以革命军担任打破满清之专制，扫除官吏之腐败，改革风俗之恶习，解脱奴婢之不平，洗净鸦片之流毒，破灭风水之迷信，废去釐卡之障碍等事。

第二为过渡时期，拟在此时期内，施行约法，建设地方自治，促进民权发达。以一县为自治单位，县之下，再分为乡村区域，而统于县。每县于敌兵驱除、战事停止之日，立颁布约法，以之规定人民之权利义务，与革命政府之统治权，以三年为限。三年期满，则由人民选举其县官；或于三年之内，该县自治局已能将其县之积弊扫除，如上所述者，及能得过半人民能了解三民主义，而归顺民国者，能将人口清查，户籍釐定，警察、卫生、教育、道路各事，照约法所定之低限程度而充分顾就者，亦可立行自选其县官，而成完全之自治团体。革命政府之对于此自治团体，只能照约法所规定而行其训政之权。俟全国平定之后六年，各县之已达完全自治者，皆得选举代表一人，组织国民大会，以制定五权宪法。以五院制为中央政府：一曰行政院，二曰立法院，三曰司法院，四曰考试院，五曰监察院。宪法制定之后，由各县人民投票选举总统以组织行政院；选举代议士以组织立法院。其余三院之院长，由总统得立法院之同意而委任之，但不对总统、立法院负责，而五院皆对于国民大会负责。各院人员失职，由监察院向国民大会弹劾之；而监察院人员失职，则国民大会自行弹劾而罢黜之。国民大会职权，专司宪法之修改，及制裁公仆之失职。国民大会及五院职员，与夫全国大小官吏，其资格皆由考试院定之。此五权宪法也。宪法制定，总统、议员举出后，革命政府当归政于民选之总统，而训政时期，于以告终。

第三为建设完成时期，拟在此时期施行宪政。此时一县之自治团体，当实行直接民权。人民对于本县之政治，当有普通选举之权，创制之权，复决之权，罢官之权。而对于一国政治，除选举权之外，其余之同等权，则付托于国民大会之代表以行之。此宪政时期，即建设告竣之时，而革命收功之日。此革命方略之大要也。曾于民元前一年广州之役节要宣布之。

其后革命实现，受各方面之牵制，卒未能建设革命政府，先生不能不取"藏器待时"之态度，以待机会。一方面徇袁世凯之请，任全国铁路督办；一方面允会员宋教仁之请，吸收政见较为接近之小党，改组革命同盟会，而名为国民党，先生被举为国民党总理。是时，国民党在议会中，占大多数，教仁欲利用之，以制裁世凯。世凯暗杀教仁，国民咸抱不平。先生以为此一机会也，乃主张起师讨世凯，其后义师屡败，而议院中国民党员悉被世凯违法而斥逐。于是先生赴日本，又选国民党中急进派，组织中华革命党。四年，世凯谋复帝制，先生遣党员赴各省，起师讨世凯。世凯死，国民党议员复职，先生回上海。

六年，段祺瑞政府解散议院，先生以为此又一机会也，赴广东组织军政府，被举为大元帅。七年，军政府改组，被举为总裁。八年，辞职。十年，被举为军政府大总统。十一年，部下一部分军队哗变，先生赴上海。十二年，党军恢复广州，先生又赴广东，组织大元帅府，被举为大元帅。

先生以己之政见，在军阀中，最不肯了解者为曹锟、吴佩孚一派，故不能不先认曹、吴一派为唯一之敌党。而其他如段祺瑞、张作霖辈，虽了解之程度亦不甚高，而同有嫉视曹、吴之意见，则对于攻击曹、吴之举，正不妨与之合作也。是以有联段、联张之主张。

先生又以国内各小党中，与民生主义较为接近者，唯共产党，而共产党员又有一部分同时为国民党党员，故有改组国民党而收入共产党之举。

先生又以国际上列强与中国所订之种种不平等条约，最为民生主义进行之障碍；而首先声明取消者为俄国，不能不认俄国为唯一之友。而且俄国故领袖列宁所创立之苏维埃制度及各种施行程序，与先生所主张训政时期之设施，极相类似；而列宁个人坚强之意志，牺牲之精神，又适与先生相等，故先生尤引列宁为唯一之友。

凡此等经历，皆特有一部分之理由，而先生平日所抱之政见，超然如故，固并不受其牵制也。

先生一生之精力及时间，虽大半消费于革命运动之中，然有暇则读

书，自奉颇简素，而有钱则用以购书，故于新时代科学家之理论，类皆能去其糟粕而撷其精英，更以己意融会之，以证成其特有之主义。读所著《建国方略》、《三民主义》、《孙文学说》及其他讲演集，可以知其概略。

自十二年间，曹锟以贿得总统，吴佩孚更凭借中央政府权力，实行其武力统一之计划；最近因冯玉祥之反戈，与段祺瑞、张作霖之协力，而曹、吴失败，祺瑞被推为执政。先生应祺瑞之请，取道日本而至北京。洞见祺瑞一派无建设革命政府之能力，不得已而思其次，力主国民会议；而段派又不能用，必先举行其所谓善后会议，以敷衍实力派；先生乃宣告本党党员表示不合作之意见。先生与他党联合之程度，大率如是。其与共产党及苏俄，亦非一切苟同，可推而知矣。

先生夙有肝疾，到北京，疾转剧，历经名医手，均无效，竟于本年三月十一日去世。年六十有一。遗嘱国民。全国无智愚，无新旧，罔不痛悼！北京及各省以至流寓他国之华人，举行追悼会者，不可胜数。各国报纸，属左党者，固推服无异词。即属右党者，虽于其政见，或不无微词，而要皆公认为中国最有关系之人物。其生也荣，其死也哀，中国自有历史以来，未之有也。

先生初娶陈夫人，有一子二女。子科，在美国研究市政，曾任广州市政厅长。长女适戴恩赛，次未嫁而殇。先生于民元三年与陈夫人离婚，续娶宋夫人庆龄。遗嘱处置家事曰："余因尽瘁国事，不治家产。其所遗书籍、衣物、住宅等，一切均付余妻宋庆龄，以为纪念。余之儿女已长成，能自立，望各自爱，以继余志。此嘱。"呜呼，一生尽瘁国事，可以矜式国人矣！

中国社会的动荡
——为中国行动告各列强

（一九二五年七月）

　　全世界都知道中国人民生性最和平、最爱好秩序。博爱之道深深生根于他们心中。近数十年来，我们对西方文化有了进一步的认识，深信物质利益与生存竞争，在西方比在中国，要强得多。但是我们也看到，现代的科学与技术对中国是不可或缺的。所以中国已经派了好几千学生到西方去留学。他们学成归来，就把他们所知贡献给祖国。如果美欧专家访问中国，他们肯定能受到尊敬与友好的接待。

　　我们与英国的关系特别密切，因为这些关系由来已久，而在中国，英语都行得通的。至于日本，日本文化导源于中国文化，直到最近，日本文化归附于西方的理论与实践。就是这样，对我们中国人也有好处。中日两国是邻国，人种相同，文字相同。中日两国的关系理应是友好无嫌的。那么为何最近中国舆论这样剧烈地反英、反日呢？我今天所要解释的就是这一点。

　　原因有两个方面：历史问题和最近问题。

　　先讲历史问题。1842年，英国用武力强逼中国签订《南京条约》。从此时起，中国常常被逼签订类似的不平等条约。我只谈这些条约中最重要、最苛刻的条款：领事裁判权、租地权、租界；某些特权（优先权），例如在中国境内养兵；限制我们规定本国的关税税率、以及其他有利于外国商品的条款。中国必须将一部分国库收入存在外国银行里。于是乎，从个人经济到国家经济，我们都被外国人缚手缚脚了。然而国家思想逐步提高，中国再也不能忍受这些条款了。处境有些像一座火山：太强大的内在

压力使它爆发了。

至于最近一些骚乱是怎样产生的？那就不得不提起：在上海日本人所开的工厂里，华工非常被虐待。在一切国家里，都实行劳动八小时制；在一切文明国家里，最低工资是四马克（即华币两元）。唯独在上海及青岛日本人所开的棉纺厂里，中国工人每日劳动十三小时，工资只给华币四角，就是说约等于八十芬尼，或一个瑞士佛郎。近几年来，生活费和日用品价目，即使在中国，也高涨了。虽则中国人很节俭，很朴素，这样低的工资万万不能维持生活。此外，这样长时间的劳动也损害了工人的健康。当人家将这种情况与别国的劳动条件相比，人家必然为压力之大而吃惊。尤其残酷的是我们在上面所讲的日本工头对华工的对待。中国工人尽可能默默地承受着。1925年2月12日，中国工人向上海日本工厂的领导人提出要求提高工资，缩短每天工作时间，改善日本工头对华工的态度。日本领导不接受这些要求，于是华籍工人罢工了。4月12日，在青岛，日本人开的工厂里的华工提出同样的要求，也遭到拒绝，也罢工了。虽则不住地威胁与接触，双方的见解未能一致。全世界都向英国人学习工厂制度，但对于中国问题，可不要相信英国人接受金融界或很著名的技术杂志所提的意见。这些刊物说："正因为中国工资便宜，所以日本人把工厂开到中国来。如果中国的工资上升到日本工资的水平，就再也无利益从实业上来征服中国了，于是这项实业就要被逼还返日本，因为万一警察和军队不能在中国充分地保障秩序和安全的话，日本实业就要冒极大的危险。"这种剧烈反对在中国提高工资的呼吁，证明在社会范围内的民愤是人为地、外国金融界挑唆起来的，它鼓励有社会观念与国际观念的人，胆敢正面把拥有四亿三百二十万人口的大国，当作人类的穷寨。2月28日，在丰田纱厂里，一个日本人用手枪打死了一个中国工人。5月15日，在内外纱厂里，日本人用手枪打死十一个中国工人。这些残杀引起了总罢工。

在一切国家里，劳动人民有罢工权，同样，向罢工者表示同情，也是随在准许的。可是，最近5月30日，在上海，学生们对被日人厂里所杀害的中国工人表示同情，举行游行。英国巡捕向游行者开枪，十一位中国公民被打死了。6月1日和2日，都有新的游行。英国巡捕加强压制，许多中国人受伤。英国人谎称他们是被逼出此。但6月13日，一封美国致中国政府的电报中说"英国巡捕太匆忙草率了"。6月15日，上海英籍萨缪尔

(Samuel)用电报证明：那些被害的中国人都是在后脑中弹的。这就说明：这些被害者在英国巡捕之前，返身而逃，绝未抵抗。这其间，中国政府同列强政府代表进行磋商，企图禁止再度出现类似的残杀。然而6月12日，汉口英国志愿军开机关枪向游行者扫射，杀死八人，伤人无数。在这种的残酷行为之下，中国忍无可忍，被逼起而坚决自卫。

当日本人与英国人这样严厉指责中国时。我们问："我们对这两个国家干了些什么？"我们只不过不再为他们工作，抵制他们的商品而已。我们并无粗暴的敌对行为。我们仅止于消极抵抗。任何理智健全的人必能体会到：中国人太爱和平，太软弱了，所以不会采取积极性的反抗。我听说中国人的行动未能博得全球的同情。二十世纪中，大家都谈到社会公论与自主权利。可是现在面对中国工人所受到的虐待，无人同情他们而进行干涉。这点，尽管我们乐于反复思索，却始终不懂得为了什么！

在西方，人家对于一个错误观点有三种想法：许多人认为目前的骚乱像1900年义和团的造反。略一思索就可以发现这种想法是错误的。义和团造反导源于中国北方，那里，一些没有文化的人，群起反抗虐待他们的中国基督教徒。由此产生强烈的排外思想。义和团相信他们的咒语能打胜外国人的大炮；一部分的官员（满洲人）相信，一旦外国人被驱逐出境，中国青年的崇欧思想也能随之消灭了。他们相信，这些外国人一旦驱逐出境，再也不会回来了。这是二十五年前的情况。今天，列强之在中国，已无疑问。从前，有些中国人果然要屠杀外国人；现今则否。为了表示抗议，我们只不过在经济方面，离开压迫我们的人。义和团运动则有绝对排外的性质。现在呢，动荡只限于反对英日。这种动荡已变为全国性了。这些事实都证明它不同于义和团造反。

另外一些人则认为这些动荡是布尔什维克的，因此应当镇压。这又是一个完全错误而且可笑的观点。布尔什维主义对于国家是否有利这个问题尚未得出结论。但是如果某一国家想试行该主义，乃是该国的内政，外国无权干涉。俄国是布尔什维主义的摇篮与国家。然而别的国家与俄国维持外交关系，官方并未反对俄国的政体。中国的实业尚未发展，所以没有强烈的阶级斗争。在欧洲实业发达的国家中，共产主义危险要剧烈得多。倘使大家深信在中国，总罢工是受了布尔什维主义的影响，那么为什么在别个国家里，产生了工人运动，不以同样的目光去看待呢？为了反驳，我再

举几个实例。3月20日，在上海市区，成立了反共工会。最近，5月1日《工会总导报》杂志发表了有卅七个工人组织具名的电报，召集第二次反共大会。甚而即在6月9日上海事故之后，有许多组织纷纷公开申明反共。从这些例子看来，中国的工人是完全反共产主义、反布尔什维主义的。那些轻信表面现象的人，认为俄国与中国间的友好表示，以及苏联寄给中国的慰问，揭露了中国的布尔什维化。他们不明白国际礼貌行动与本国的政治倾向是各不相涉的两件事。这是国际间常用的礼节。此外，俄国对中国取消了所有的旧条约，却与中国订立了一项平等公正的新条约。这样，自然引起了中国舆论对俄的友好同情。我们只知道俄国对我们友好，却不问俄国内部情况如何。如果日本和英国对我们采取像俄国那样的态度，人家能否想象，为了对它们表示友好，我们就采取了专制政体？

在中国国外，也许有人幻想：只须施压力于北京中央政府，排外就可以平息了。这又是一种错觉。当然，以往列强用此手段从中国获得一连串的优待，但是这已成为过去。当年中央政府是强大的，老百姓无权过问政治。可是从1911年革命以来，中国人感到自己的政治责任，政府也不像以前那样集中了。中央政府可以执行政权，但必需获得民心。不然的话，即使中央政府欲在列强压力下让步，各省的省政府就要反对，甚而即使它们中间有部分跟了中央政府走，整个老百姓就要群起而攻之。列强用讹诈手段向中央政府获得的许诺，将化为幻影，因为这个政府的本身不是牢固的。中国人民就是这样反抗，例如《凡尔赛条约》，虽则有日本人的压力，虽则中国政府愿意签字。畴昔强迫中国的手法不再合乎现在状况。为什么英国和日本在它们的对华政策中，不找寻一条双方都行得通的道路呢？

我希望这事会产生的，希望列强运用它们的影响，使两国改变它们对华的态度。日本工厂的厂主缩短中国工人的劳动时间到八小时，提高他们的工资，使他们能生活，而无损于人类的尊严。这些厂主应该取消工头们对华工的暴行。如果日本厂主这样作了，总罢工立刻就会停止；工作时间虽则缩短了，产量却将上升。为什么日本人不采取美洲和欧洲工厂的制度呢？

英国应该责罚上海的英国巡捕头头，下令严禁无缘无故向和平的中国公民开火。它应该向被杀害的家属给予抚恤金。如果英国人对待我们和对待他们的同胞那样，他们就使我们相信他们是有公道观念的。

我还希望英、日、其他列强，进一步深入问题，他们自觉地看到以往他们与中国所订定的条约是不公平的，不合乎现代原则的，另行签订平等互利的新条约。于是中国方能自由发展，发挥它的能力，与列强友好合作，正对共同目标而前进。这不但是中国的幸福，也是全世界的幸福。凡是对于双方有利的事，必然高于单方面有好处的事。

　　经过深思熟虑，我将肺腑之言，奉告英、日与列强，请他们多多想想。

五卅殉难烈士墓碑文

(一九二七年十月三日)

中华民国十六年十月三日五卅殉难烈士墓成,烈士丧葬筹备委员会乞文于余,以告来者。

五卅惨案发生之日,余方游地欧洲,于举国人士激昂悲壮之奋斗,虽未获躬预其役,然自五卅惨案发生,中国民族独立运动震撼世界之伟大影响,则所耳闻目睹。辛亥革命而后,帝国主义者以北洋系军阀为工具,继续其宰割蹂躏中国民族之行为,久视中国为次殖民地。吾党总理孙先生独持三民主义,以广州一隅之力与全国军阀、世界之帝国主义者战,期完成辛亥革命之使命。十余年来,憔悴忧伤,坚苦卓绝,终以党员之不努力,国民之不觉悟,北伐未成,国民会议之主张复失败,赍志饮恨,于十四年三月十二日痛逝于北京行馆。孙先生死,帝国主义者与军阀益肆无忌惮,国民党员与中国民众痛师资丧失,知舍努力国民革命,中国将无以自存,故当帝国主义者压迫加甚之日,被压迫民众反抗之决心亦与之俱增。孙先生逝后七十八日,遂有上海公共租界工部局英捕屠杀中国爱国民众之惨剧。

先是,上海某日商纱厂因压制罢工,残杀工人顾正红,工会与公正之中国人士诉之英人主持之公共租界工部局,工部局置不理。同时为压迫租界中国人民计,工部局复于是年公共租界纳税人年会提出印刷条律、交易所条律等,剥夺中国居民之出版自由,侵犯中国之经济主权。中国民众忍无可忍,遂群起为和平之呼吁,国民党员与青年学子均自动集队讲演,以激励国人之爱国心,工部局竟悍然不顾,命令街捕遇讲演者,无论男女,悉加逮捕,一小时被捕者达百余人,老闸捕房狱为之满,后至者尚踵相接，时讲演者前仆后继，不稍退却，听讲之群众亦愈来愈众，南京路途为之塞。群众虽义愤填膺，然皆徒手，无暴动之行为。工部局总办鲁和竟纵任英捕头爱活生开枪示威，群众闻枪声纷向后退而途塞，急乱不得出路。爱活生乃续令各捕向徒手图退之群众开实弹之枪，至四十四响之多。是役也，前后殉难者，计何秉彝、陈虞卿、王纪福、邬金华、唐良生、尹景伊、石金盛、金念七、杨连发、蔡阿根、谈金福、徐桂生、魏国平、罗文照、谈海根、詹仲炳、陈兆长、朱和尚、付芳贵、王奎宝、陈兴发、余乐逢、王云生、姚顺庆等二十四烈士，伤者不计其数。弹皆由背入，是证死伤之群众，均于让退后受创。呜呼，惨矣！

英帝国主义者在华残酷凶恶，至是悉暴露无遗。惨耗所播，海内外国人与列国主张公道之人士，莫不群起斥英帝国主义暴行，愿为上海被压民众声援。各地排英举动，风起云涌，不约而遍于全国。上海公共租界商店罢业者二十七日，工人罢工者三十余万人，罢工期间延长至两阅月。广州民众，因响应上海民众之排英，复演六月三日之惨剧，殉难者数十余人。自此而后，英人在华之商业，一蹶不振；中国被压迫群众与帝国主义者之肉搏，亦由此开始，本党总理孙先生"唤起民众共同奋斗"之遗嘱，乃见诸事实，中国民族在国际上之独立运动，五卅烈士实开其端。诸烈士之死。岂寻常哉！继诸烈士之后，奋斗牺牲，以达完成中国国民革命，实现总理三民主义之目的，是则后死者之责也已。

    中华民国十六年仲秋月 蔡元培撰 严慎予书

关于青年运动的提案

(一九二八年夏)

吾党过去青年运动之作用,及现今不能继续之理由:吾党主义非为一时,其不受时间之支配,人所共喻。若施设之策,则不能不因前后情势之不同,而参合事实,适应因革。外交方针如此,农工运动如此,在教育何莫不然。

往者中央党部、国民政府在广州,举国大半皆在军阀之下。不得不厚集革命之力量,以颠覆籍据,故吾党当时助各地青年学生之运动,不复虑其一时学业之牺牲。本理所宜然,策所必助,虽有所痛于心,诚不能免乎此也。

及后革命势力克定长江,学生鼓励民气之功绩已著,而青年牺牲学行训练之大弊亦彰,改弦易策,人同此心。中央四次全会有鉴于此,于其宣言郑重言之曰:

"就今日受痛苦最大之点言之,无过于未成年之学生参加政治斗争之一事。夫政治运动及社会运动,乃关系人民实际生活、国家实际利害之问题,参与此种运动者,必须有实际利害之认识,与正确智识之判断。未成年之青年男女,身体精神之发育未完全,基本之知识经验未具备,即个人之私生活,尚不能离成年者之保佑而独立。何况国家社会之大事,乃放任于未成年者之自由活动,是不特将民族所可爱可宝之未来生命,付之无代价之牺牲;亦直是以国家社会全体之生命,作儿戏之试验品也。各国法律,在私法上规定行为能力之年龄,未成年者一切行为,不认其有法律上之效力,亦不科以法律上之责任。而国民之公权,则更有各种限制。此不特维持社会公共生活之秩序,国家之安存发展,亦所以培养青年并保护青年者也。以目前中国之情形论,文化落后,经济落后。国民之身体无不衰弱,所仅足属望者,唯后起之青年耳。然当其应受培养与保护之时代,不教之以正当之学问,导之以正当之道途,使其身体精神得遂其自然而健全之发展,乃欲付以成年者所不能胜之重任;及其已陷于错误,而祸害已波及于社会国家,然后不得已而科之未成年者所不应受之严刑,此岂足以救亡,实所以召灭种之祸而已。"

又本年全国教育会议,中山大学、广东、广西教育厅所提《确定学生会之组织及其法律关系》一案云:

"现在之学生会组织,尚有一大谬误,即联合会之无限制的扩大与势力之滥用是也。此种组织,将全国百千万之学生,操纵于少数学生政客之手,而强迫百千万之学生以盲从,名为民主,实乃最专制愚民之制度,等于整个国家组织之中夺取一部分之国家以去,而自成一国家。一有错误,全体随之。此制不革,国家不能立教育方针,社会不能立社会秩序。教育破产,生活破产,学术破产,国家破产,均由此起。而各学生本身之危险,则更不待言。此种感觉,不仅提案者有之;此时负教育责任者,多怀此隐忧。盖军阀之下学生之趋向,在国民党统治境内者,理应不同。革命军兴之时,与建设之时,理应不同。昔谋革命之早日成功,今图建设之人格培养,则过去之青年运动,现今不能继续,以多破坏而妨建设,理甚显也。"

本党之农工商运动,一方面在增进农工商自身利益,一方面又在唤起彼等共同努力于革命,权力〔利〕与义务兼顾者也。而本党之青年运动,则在运动学生,使牺牲其课业,牺牲其学校之秩序,专一从事于激动之工作,可谓有义务而无权利。原吾党当时之所以不得不任学生牺牲者,盖以有故;一、学生所进之学校,大抵在军阀势力范围之内。其训育宗旨,多与本党主义相违,率学生以反对校员,亦未始非宣传党义一法。二、破坏工作,在大多数有地位有家室有经验者多不肯冒险一试;学生更事不多,激动较易,既无家累,而智识辩才,适在其他民众之上,为最便于利用之工具;三、欲在反革命区域以内,救援全体民众,而牺牲一部分青年之利益,以政治学上最大多数之最大幸福之要求衡之,尚非不值。有此三义,故本党往昔之青年运动,自今日思之,不得不告歉于青年;而自当日言之,实出于不得已。正如军队以服从长官为天则,而对于敌人境内之军

队,则虽运动其下级官反对上级,或运动其兵士反对官长,亦非所恤,出于不得已也。

今中国本部已尽在青天白日旗帜之下。国民政府对于不服从党义之官吏及学校教职员,皆有干涉与更易之权,无求助于学生之必要。正如敌军既已归附,则不可不律以军纪。一也。战事结束,建设开始,成年者知无危险,咸告奋勇,不必再资补充于未成年之学生。如常备军既已足用,不必遽调后备;工人方虑失业,不宜雇及童工。二也。训政时期,百废待举,在在感专门人才之缺乏,若不于此时广为培植,则永不能渡此难关。正如有七年之病,而不求三年之艾,则岁不我与,追悔无及。三也。若狃于往昔之青年运动,而必欲继续行之,则为无病而呻,徒乱人意。十年、二十年以后,今之青年既已老大,感学业之不足以应世变,虽取吾辈之白骨而鞭之,岂足以偿误国误党之罪耶?

浙东多莳竹者。竹先为笋,笋可食也;冀其成林,必养笋成竹而后可。饥不得食,不能不挖笋以充饥,犹可说也;若谷蔬既备,而犹挖可以成竹之笋,其可乎?各省造林之厂〔场〕,先植幼木,旅人经此,适值严寒,不得不暂采以为薪,犹可说也;若燃料既具,而犹摧及幼木,使造林之目的,无由而达,其可乎?故吾党不信教育则已,若欲实行《建国大纲》及本党政纲中重视教育各条文,则青年不可不有长期之正当培植,以充其知识,成其技能,坚其人品,明其廉耻,庶可成为建设之材,而不至趋于游民之路。换言之,即非停止往日之青年运动不可。

或谓往日之青年运动,偏于破坏,今若偏于建设之运动,则必无损而有益,此固言之有理,然试问建设之运动,应指何种?若指体育上之运动,智育上之研究与辩论,德育上之自治,及其他服务社会、研究时事、音乐、美术等高尚娱乐之类,苟为吾党所主张,则皆可督促教育行政机关分别设备,或联合各学校而行之,非学生团体所能自举也。若学生团体不负此种责任,而空设组织、宣传、通电、游行之任务,则其事大抵与党部重复,而其烦琐又决非专任不可,势必蹈往日学生联合会之覆辙,其职员悉以离校之学生充之,不得不多觅活动之机会,以求免尸位之消;其余全体学生,必有扰累,而无裨补,可断言也。

或谓近日共产党、国家主义派以及自号第三党之一类,正竞事青年运动,吾党若不以运动与之竞,则势必全体青年悉为彼等所吸收而后已。窃以为无虑。彼等既以反对吾党为目的，则仿效吾党往日之运动，而从事破坏，宜也。且彼等既不公然征求党员，故不得不有此秘密之结合。吾党既有管理学校之权，主义、方略，编入教科书中；教职员与学生均有进党之机会，学校又有正分部、正党部之组织，如学生中有秘密受他种团体之运动者，凡服从党义之教职员与学生，皆得而伺察之，初无恃乎特别之团体。且既有团体，则其他团体之为特别运动者，安知不即利用此团体，如庄子所谓：大力者负之而趋乎。故学生之受他党诱惑与否，初不关乎为往日青年运动之学生会之有无也。

鄙意，本党对于学生，宜根据四次全体会宣言，采用广州中山大学及广东、广西教育厅所提出之案，不必再为他种学生会及学生联合会等组织，以避免学术界之大牺牲。是否有当？敬请公决。

提议者中央监察委员　蔡元培

秋瑾纪念碑记

（一九三○年三月）

中华民国十六年春，国民革命军戡定浙江，士庶欢乐，追念成功所自，莫不歌颂诸先烈之首犯大难，有以启之。而吾乡先烈，自徐先生锡麟与陶先生成章而后，以秋先生瑾为最著。民国之初，徐先生祠于西郭，陶先生祠于东湖，各有瞻仰之所，唯秋先生迄无表章，隆仪阙然。

于是邑人王君世裕等，慨念兴起，议建祠、筑亭，永昭功烈，具状政府言其事，并请款，会中央有不立专祠之决议，旋奉国民政府令，依内政部议准，建风雨亭及纪念碑，其经费由省政府会县估定。筹拨令既下，邑人之心大慰，乃遂相度地势，众意咸谓轩亭口为先生正命之地，宜建纪念碑；卧龙山之巅，近西南处，可下瞰当年先生拘系之典史署，宜建风雨亭。鸠工庀材，不日成事。亭取"秋雨秋风"之句以为名。咏其诗想见其为人，流连凭吊，情不自已，而轩亭口人烟稠密，往来肩摩，睹纪念碑之矗立，尤足以感动群情。廉顽立懦，盖必有后人继起建设，而先烈之勇往牺牲始不虚。然则是碑与亭，固为革命缔造之光，实以群众兴奋之剂。宜与徐、陶纪念，鼎分辉映云。

十九年三月，蔡元培记，三原于右任书。

三民主义与国语

（一九三〇年四月）

今天讲三民主义，和寻常不同，因为要把三民主义和国语有关系的方面说一下。什么是主义？孙先生说：主义是思想，信仰，力量。凡是主义，都有这点态度。我们要发起统一国语促进会，就是思想；全体会员组成这会，就是对于国语都有信仰；会员的种种运动，就是力量。

（一）民族主义

民族主义和国语关系最多。民族主义就是国族主义。外国的国家，都不是一个民族，像奥国一国，有波兰、捷克、斯拉夫等等民族，所以时时要起纠纷。像中国虽号称五族，但其余四族甚少，不甚显著。满、蒙、藏，本是藩属；回族散布在各地，更不显著；满族自经辛亥革命以来，并且都已改了汉姓。不过，既然带些混合的性质，必定要有统一的线索。假使甲地的人到乙地去，不能直接谈话，要用翻译，很感到不便；就是用笔谈，也不能把意思完全表示。所以，从民族系统上看，统一国语，很为重要。不然，无论任何方法，不能有团结的力量。中国人向来对于种族观念很强，像福建等地方，时常有两姓械斗的事，打死了许多人，不问是哪一个打死，只问哪一族打死。其次为地方观念，也和上面所说一样。要成功民族思想，只要把这些观念扩大。中国人民肯替家族、地方牺牲，而不肯替国家牺牲，就是因为感情的不融洽，像广东一省、广州、潮州、汀州、漳州都各有各的语言，所以时起纠葛，虽然也有他种原因，但是语言时

〔的〕不统一，总是一个重大原因。

讲到民族的起源，孙先生说，有五种关系，就是血统、生活、语言、宗教、风俗习惯。语言的关系重要，孙先生已经明白告诉我们的。这五种当中，讲到血统，有时因通婚关系，可以渐渐混合的。讲到生活，像南方人吃米、北方人吃麦；北方人睡炕，南方人睡床，都各有各的习惯。讲到宗教，除一般宗教以外，或是崇拜英雄，也带些宗教性质，交通便利之后，总渐渐可以同化。风俗习惯，跟了政治教育，也可以转移。讲到语言，自然更是重要。比方奥国所以不能团结的缘故，因为波兰、捷克斯拉夫都要各自保守他的语言的缘故。从国与国讲，如果外来民族得了我们的语言，便容易被我们同化，久而久之，遂同化成一个民族。再反过来，我们单知道外国语言，也容易被外国人同化。人口增加率，各国不同，中国老是四万万，有的说有增加，有的说反而减少，总之，比不上美国，美国近几年之增加率为十倍，百年后将为十万万。中国若不讲养育卫生之法，至于饥饿疾病，将来必归淘汰。再加上政治经济步步压迫，眼前已经很是危险。一民族不能受一民族的压迫，所以要推翻满清政府；一国民族不能受他国民族的压迫，所以要团结起来。团结的工具，国语也是重要的一种。中国失去了民族主义，已经好几百年，前清时节，对于满州人，都是歌功颂德的文章。几个革民〔命〕同志，藉着一下层社会所组的党会，用文人所不讲的语言，去宣传他的主义，使人家不大注意，这也可见语言力量的一斑。

以一民族为单位，想同化别个民族是不容易的事。日本人要想同化高丽，历史上比较容易，可是仍办不到。中国受了世界主义的欺骗，所以把民族主义失掉。所以，我们不谈世界主义，谈民族主义；民族主义达到了，才好谈世界主义。

欧洲大战和民族主义很有关系。德国人以为日耳曼民族可以统一世界，不讲公理，只讲强权。威尔逊主张民族自决，可惜被英、法几个政治家渐渐的移到强权。

讲到民族自决，语言也很重要，因为自主，发达了各民族自己的语言文字，格外明显要把他保存起来。不过，各民族都要保存自己的语言文字，依然不能一致；所以有人提倡世界语言，那么，怎么办呢？一方面保存各民族的语言文字，显他一民族的精神；一方面提倡世界语，以期世界大同，这是并行不悖的。

中国各地方之方言，都有很可珍贵的宝藏，一人可以有两种语言，一种为特色的；一种为普通的，也和世界语同国语一样。

孙先生说，把中国失去了的民族主义，要他恢复转来，一是把家族、地方的观念扩大；一是要恢复旧道德和知识技能。旧道德，像忠孝信义仁爱和平，都是诚正修齐以至治国平天下，这种政治系统观念，尤其是外国人所没有。旧知识技能，像印刷、雕刻等都是。要恢复道德知能，就不能不靠教育，而教育的方法，不单靠着文字，还须靠着语言，才可以增加力量。

（二）民权主义

有团体、有组织的，就是民权，就是力量。民和权合起来，就是人民的政治力量。人类的生存，有两个要点：一是自卫，一是自养。从历史上看来，可分作几个时期：第一期是人和兽争；第二期是人和天争，此时发生宗教；第三期是人和人争，自然物已经有法处理，因为分配不均，所以发生争执；或者靠地域，或者靠人力，那时有特别能力的人出来，就是英雄，个个崇奉他，这就是君权。第四期，就是现在人民与君主争，便是善人和恶人争，公理和强权争。

法国革命的口号是自由、平等、博爱。在中国，讲博爱固然重要，至于自由两字，中国个人的自由却太甚了，所以成散沙一般，必须提倡团体自由，肯为公众牺牲才好。说到平等，本来有先知先觉、后知后觉、不知不觉的三等人：第一种是发明家，第二种是宣传家，第三种是实行家。人人以服务为目的，作相当的事情，才是平等。

民权发达的历史，第一是美国革命，哈普主张极端的民权，遮化臣主张政府集权，后者占胜，是第一次障碍，第二是法国革命，滥用民权，成为暴民专制，这是第二次障碍。第三是俾士麦，用巧妙的手段，防止民权，是第三次障碍。可是民权的发达，总是遏止不住的。欧洲的代识〔议〕政体已不适用。俄国是人民独裁政体。

我们中国，看了各国的情形，不必再蹈覆辙，要造成一种新方法，就是造成全民政治的民国。所以孙先生的方法，要全体人民均有权，把权和能分开，有能的人，比方是汽车夫、政府；有权的人，比方是坐汽车的人民。又把治权分作五种：司法、立法、行政、考试、监察。政权分作四种。选举、罢免、创制、复决。

孙先生所主张的全民政治，不用代议制，人〈人〉可以发表意见，充分讨论。那么，言语不统一，就非常不便。所以，提倡国语，对于民权主义，也有很大的帮助。

（三）民生主义

民生是人民的生活，社会的生存，国民的生计，群众的生命。民生主义就是社会问题，也就是大同主意〔义〕。

自从机器发明以后，有许多工人，一时失业，劳资阶级的战争就从此开始，于是发生社会主义。就中分作两派：

（1）理想派，像柏拉图的乌托邦；

（2）科学派，像马克思的经济学说最为有力。

孙先生对于马克思的学说，有些不大赞成。美国的威廉也曾说，这有心理的关系，人人要生存，生存的凭借，必定要人人都有；大家要生存，必得大家各尽一分子的力量。所以，把物质作社会的重心是不对的。社会问题才是历史的重心，而社会问题中，又以生存为重心才是合理。

一民族有一民族的情况，俄国要共产，实在不能共产。一来，他不能和非共产的国家往来；二来，马克思是德国人，俄国和德国的情形不同。德国的状况是：（1）工业发达；（2）贫富极不均；（3）累进税不能行。所以，现在改行新经济政策。俄国所有的条件，中国也没有，讲到资本，只有大贫和小贫；要用旧力量发达实业，不必再走迂路，造成资本家，再革资本家的命。所以，孙先生的办法是：（1）平均地权；（2）节制资本。

第一种的例，比方西湖地价，现在值到八九千，就从现在报价，照价征租。以后再贵上去，是地方事业共谋发达的功劳。所贵之价，要归政府。

第二种办法，就是大事业公办。欧美现今已在实行了。

总之，孙先生说：三民主义就是救国主义。因为中国有特殊的情形，而特殊的国语，就所〔可〕以适应特别的情形。

要达到三民主义，必定要人人工作；信仰三民主义的人，也应该信仰国语。

中华民族与中庸之道
——在亚洲学会演说词

（一九三〇年十一月二十日）

我等所生活的世界，是相对的，而我人恒取其平衡点。例如在生理上，循环系动脉与静脉相对而以心脏为中点；消化系吸收与排泄相对而以胃为中点。在心理概念上，就空间言，有左即有右，有前即有后，有上即有下，而我等个人即为其中心。以时间言，有过去即有将来，而我人即以现在为中点，这都是自然而然，谁也不能反对的。在行为上，也应有此原则，而西洋哲学家，除雅里士多德曾提倡中庸之道外（如勇敢为怯懦与鲁莽的折中，节制为吝啬与浪费的折中等），鲜有注意及此的；不是托尔斯泰的极端不抵抗主义，便是尼采的极端强权主义；不是卢梭的极端放任论，就是霍布斯的极端干涉论；这完全因为自希腊民族以外，其他民族性，都与中庸之道不投合的缘故。独我中华民族，凡持极端说的，一经试验，辄失败；而为中庸之道，常为多数人所赞同，而且较为持久。这可用两种最有权威的学说来证明他：一是民元十五年以前二千余年传统的儒家；一是近年所实行的孙逸仙博士的三民主义。

儒家所标举以为模范的人物，始于四千年前的尧、舜、禹，而继以三千五百年前的汤，三千年前的文、武。《论语》记尧传位于舜，命以"允执厥中"；舜的执中怎样？《礼记·中庸篇》说道："舜好察迩言，执其两端，用其中于民"。《尚书》说舜以典乐的官司教育，命他教子弟要"直而温，宽而栗，刚而无虐，简而无傲"；直宽与刚简，虽是善德；但是过直就不温，过宽就不栗，过刚就虐，过简就傲，用温、栗、无虐、无傲作界说，就是中庸的意思。舜晚年传位于禹，也命他允执厥中。禹的执中怎样?孔子说:"禹菲饮食而致孝乎鬼神;恶衣服而致美乎黻冕,卑宫室而尽力乎沟洫。"若是因个人衣食住的尚俭而对于祭品礼服与田间工事都从简率,便是不及;又若是因祭品礼服与田间工事的完备,而对于个人的衣食住,也尚奢侈,便是太过;禹没有不及与过,便是中庸。汤的事迹,可考的很少;但孟子说:"汤执中",是与尧、舜、禹一样。文、武虽没有中庸的标榜,但孔子曾说:"张而弗弛,文、武弗能也;弛而弗张,文、武弗为也;一张一弛,文武之道也。"是文、武不肯为张而弗弛的太过,也不肯为弛而弗张的不及,一张一弛,就是中庸。至于儒家的开山孔子曾说:"道之不行也,贤者过之,不肖者不及也;道之不明也,知者过之,愚者不及也。"又尝说:"过犹不及。"何等看重中庸!又说:"质胜文则野,文胜质则史,文质彬彬,然后君子。"是求文质的中庸。又说:"君子之于天下也,无过也,无莫也,义之与比。"又说:"我无可无不可",是求可否的中庸。又说:"君子惠而不费,劳而不怨,欲而不贪,泰而不骄,威而不猛。"他的弟子说:"孔子温而厉,威而不猛,泰而安。"这都是中庸的态度。孔子的孙子子思作《中庸》一篇,是传述祖训的。

在儒家成立的时代,与他同时并立的,有极右派的法家,断言性恶,取极端干涉论;又有极左派的道家,崇尚自然,取极端放任论。但法家的政策,试于秦而秦亡;道家的风习,试于晋而晋亡。在汉初,文帝试用道家,及其子景帝,即改用法家;及景帝之子武帝,即罢黜百家,专尊孔子,直沿用至清季。可见极右派与极左派,均与中华民族性不适宜,只有儒家的中庸之道,最为契合,所以沿用至二千年。现在国际交通,科学输入,于是有新学说继儒家而起,是为孙逸仙博士的三民主义。

三民主义虽多有新义,为往昔儒者所未见到,但也是以中庸之道为标准。例如持国家主义的,往往反对大同;持世界主义的,又往往蔑视国界,这是两端的见解;而孙氏的民族主义,既谋本民族的独立,又谋各民族的平等,是为国家主义与世界主义的折中,尊民权的或不愿有强有力的政府,强有力的政府又往往蹂躏民族〔权〕,这又是两端的见解;而孙氏的民权主义,给人民以四权,专关于用人、制法的大计,谓之政权,给政府与五权,关于行政、立法、司法、监察、考试等庶政,谓之治权;人民有权而政府有能,是为人民与政府权能的折中。持资本主义的,不免压迫劳动;主动劳动阶级专政的,又不免虐待资本家;这又是两端的见解;而

　　孙氏的民生主义,一方面以平均地权、节制资本、防资本家的专横;又一方面行种种社会政策,以解除劳动者的困难。要使社会上大多数的经济利益相调和、而不相冲突,这是劳资间的中庸之道。其他保守派反对欧化的输入,进取派又不注意国粹的保存;孙氏一方面主张恢复固有的道德与智能,一方面主张学外国之所长,是为国粹与欧化的折中。又如政制上,或专主中央集权,或专主地方分权,而孙氏则主张中央与地方之权限,采均权制度。凡事务有全国一致之性质的,划归中央;有因地制宜之性质的,划归地方;不偏于中央集权或地方分权,是为集权与分权的折中。其他率皆类此。

　　由此可见,孙博士创设这种主义,成立中国国民党,实在是适合于中华民族性,而与古代的儒家相当;与其他共产党的太过、国家主义派不及大异。所以当宪政时期尚未达到以前,中国国民党不能不担负训政的责任。

保障民权

（一九三三年二月十八日）

民权二字，虽为新名词，然保障民权的意义，则自二千年前，已多有人主张，当时虽没有想到选举、罢免、创製〔制〕、复决等政权，如孙先生民权演讲中所列举的周到，但对于生命、财产的爱护，言论、集会诸自由的获得，已甚注意于保障了。

那时候，以省刑罚，薄赋敛为仁政，固然生命与财产的保障并重，然尤注意者为生命，例如孟子说："天下定于一……不嗜杀人者能一之。"又说："杀一无罪，非仁也。"又说："左右皆曰'可杀'，勿听；诸大夫皆曰'可杀'，勿听；国人皆曰'可杀'，然后察之；见可杀也，然后杀之；故曰：'国人杀之也'。"老子说："民不畏死，奈何以死惧之？"这可见当时保障生命的热烈了。

对于思想、言论、集会的自由，尤以言论自由为集点。孔子说："一言可以丧邦……唯其言而莫予违也。"《孝经》说："士有争友，则身不离于令名；父有争子，则身不陷于不义。"荀子说："非我而当者，吾师也；是我而当者，吾友也；谄谀我者，吾贼也。"《国语》记："周厉王虐，国人谤王……王怒，得卫巫，使监谤者，以告，则杀之。国人莫敢言，道路以目。王喜曰：'吾能弭谤矣，乃不敢言。'召公曰：'是障之也。防民之口，甚于防川；川雍而溃，伤人必多；民亦如之。是故为川者决之使导，为民者宣之使言。'王弗听，于是国人莫敢出言。三年，乃流王于彘。"《左传》鲁襄公三十一年记："郑人游于乡校以论执政；然明谓子产曰：'毁乡校何如？'子产曰：'何为？夫人朝夕退而游焉，以议执政之善否；其所善者，吾则行之；其所恶者，吾则改之；是吾师也。若之何毁之？我

闻忠善以损怨，不闻作威以防怨；岂不遽止？然犹防川，大决所犯，伤人必多，吾不克救也；不如小决使导；不如吾闻而药之也'。"观召公、子产，均以防川为喻；厉王强弭之而被逐，子产利用之而得师，孰得孰失，显而易见。

至于历史上给我们的教训，甚多甚多，举其最著者：秦始皇时，偶语诗书弃市，以古非今者族，秦以速亡。汉季党锢之祸，以干涉集会之自由，杀捕党人，遂以亡汉。

袁世凯如不钳制言论，革菅人命，亦不至受群小之包围，试行帝制以自杀。

他例尚多，不必赘述。

到了现在，觉民权保障，尤为特别需要：

（一）国民党训政时期的需要宪政时期，人民要行使四种政权。若训政时期，尚不能得到最最初步的自由，则何以为行使四权的训练？此其一。为宪政的预备，重在地方自治，人民若生命尚无保障，一切不得自由，则何以励行自治？此其二。训政时期约法，已列举人民各种自由，非依法律不得限制之；若不能实行此等条文，则何以敢信于人民，使知训政期满后确能实行宪政？

（二）国难时期的需要现际空前国难，大家都说要全国总动员，始可渡过难关。政府为集思广益起见，亦曾有国难会议的召集。若对于言论、出版、集会等自由，尚不许充分运用，则所谓集思广益者何在？此其一。且各种事业，均感人才缺乏；若有为之才，偶因言论稍涉偏激，或辗转联带的嫌疑，而辄加逮捕，甚至处死，则益将感为事择人之困难，而无术以救国，此其二。

所以民权保障，是考诸哲人的遗训，证诸历史的事实，按诸目前的时势，都是必不可少的运动，我们安能不注意呢？

美 育

对于新教育之意见

(一九一二年二月十一日)

近日在教育部与诸同人新草学校法令,以为征集高等教育会议之预备,颇承同志饷以说论。顾关于教育方针得殊寡,辄先述鄙见以为喤引,幸海内教育家是正之。

教育有二大别:曰隶属于政治者,曰超轶乎政治者。专制时代(兼立宪而含专制性质者言之),教育家循政府之方针以标准教育,常为纯粹之隶属政治者。共和时代,教育家得立于人民之地位以定标准,乃得有超轶政治之教育。清之季世,隶属政治之教育,腾于教育家之口者,曰军国民教育。夫军国民教育者,与社会主义僢驰,在他国已有道消之兆。然在我国,则强邻交逼,亟图自卫,而历年丧失之国权,非凭借武力,势难恢复。且军人革命以后,难保无军人执政之一时期,非行举国皆兵之制,将使军人社会,永为全国中特别之阶级,而无以平均其势力。则如所谓军国民教育者,诚今日所不能不采者也。

虽然,今之世界,所恃以竞争者,不仅在武力,而尤在财力。且武力之半,亦由财力而孳乳。于是有第二之隶属政治者,曰实利主义之教育,以人民生计为普通教育之中坚。其主张最力者,至以普通学术,悉寓于树艺、烹饪、裁缝及金、木、土工之中。此其说创于美洲,而近亦盛行于欧陆。我国地宝不发,实业界之组织尚幼稚,人民失业者至多,而国甚贫。实利主义之教育,固亦当务之急者也。

是二者,所谓强兵富国之主义也。顾兵可强也,然或溢而为私斗,为

侵略，则奈何？国可富也，然或不免知欺愚，强欺弱，而演贫富悬绝，资本家与劳动家血战之惨剧，则奈何？曰教之以公民道德。何谓公民道德？曰法兰西之革命也，所标揭者，曰自由、平等、亲爱。道德之要旨，尽于是矣。孔子曰：匹夫不可夺志。孟子曰：大丈夫者，富贵不能淫，贫贱不能移，威武不能屈。自由之谓也。古者盖谓之义。孔子曰：己所不欲，勿施于人。子贡曰：我不欲人之加诸我也，吾亦欲毋加诸人。《礼·大学记》曰：所恶于前，毋以先后；所恶于后，毋以从前；所恶于右，毋以交于左；所恶于左，毋以交于右。平等之谓也。古者盖谓之恕。自由者，就主观而言之也。然我欲自由，则亦当尊人之自由，故通于客观。平等者，就客观而言之也。然我不以不平等遇人，则亦不容人之以不平等遇我，故通于主观。二者相对而实相成，要皆由消极一方面言之。苟不进之以积极之道德，则夫吾同胞中，固有因生禀之不齐，境遇之所迫，企自由而不遂，求与人平等而不能者。将一切恝置之，而所谓自由若平等之量，仍不能无缺陷。孟子曰：鳏寡孤独，天下之穷民而无告者也。张子曰：凡天下疲癃残疾惸独鳏寡，皆吾兄弟之颠连而无告者也。禹思天下有溺者，由己溺之。稷思天下有饥者，由己饥之。伊尹思天下之人，匹夫匹妇有不与被尧舜之泽者，若己推而纳之沟中。孔子曰：己欲立而立人，己欲达而达人。亲爱之谓也。古者盖谓之仁。三者诚一切道德之根源，而公民道德教育之所有事者也。

教育而至于公民道德，宜若可为最终之鹄的矣。曰未也。公民道德之教育，犹未能超轶乎政治者也。世所谓最良政治者，不外乎以最大多数之最大幸福为鹄的。最大多数者，积最少数之一人而成者也。一人之幸福，丰衣足食也，无灾无害也，不外乎现世之幸福。积一人幸福而为最大多数，其鹄的犹是。立法部之所评议，行政部之所执行，司法部之所保护，如是而已矣。即进而达礼运之所谓大道为公，社会主义家所谓未来之黄金时代，人各尽所能，而各得其所需要，要亦不外乎现世之幸福。盖政治之鹄的，如是而已矣。一切隶属政治之教育，充其量亦如是而已矣。

虽然，人不能有生而无死。现世之幸福，临死而消灭。人而仅仅以临死消灭之幸福为鹄的，则所谓人生者有何等价值乎？国不能有存而无亡，世界不能有成而无毁，全国之民，全世界之人类，世世相传，以此不能不消灭之幸福为鹄的，则所谓国民若人类者，有何等价值乎？且如是，则就一人而言之，杀身成仁也，舍生取义也，舍己而为群也，有何等意义乎？就一社会而言之，与我以自由乎，否则与我以死，争一民族之自由，不至沥全民族最后之一滴血不已，不到全国为一大冢不已，有何等意义乎？且人既无一死生破利害之观念，则必无冒险之精神，无远大之计划，见小利，急近功，则又能保其不为失节堕行身败名裂之人乎？谚曰当局者迷，旁观者清，非有出世间之思想者，不能善处世间事，吾人即仅仅以现世幸福为鹄的，犹不可无超轶现世之观念，况鹄的不止于此者乎？

以现世幸福为鹄的者，政治家也；教育家则否。盖世界有二方面，如一纸之有表里：一为现象，一为实体。现象世界之事为政治，故以造成现世幸福为鹄的；实体世界之事为宗教，故以摆脱现世幸福为作用。而教育者，则立于现象世界，而有事于实体世界者也。故以实体世界之观念为其究竟之大目的，而以现象世界之幸福为其达于实体观念之作用。

然则现象世界与实体世界之区别何在耶？曰：前者相对，而后者绝对；前者范围于因果律，而后者超轶乎因果律；前者与空间时间有不可离之关系，而后者无空间时间之可言；前者可以经验，而后者全恃直观。故实体世界者，不可名言者也。然而既以是为观念之一种矣，则不得不强为之名，是以或谓之道，或谓之太极，或谓之神，或谓之黑暗之意识，或谓之无识之意志。其名可以万殊，而观念则一。虽哲学之流派不同，宗教家之仪式不同，而其所到达之最高观念皆如是。（最浅薄之唯物论哲学，及最幼稚之宗教祈长生求福利者，不在此例。）

然则，教育家何以不结合于宗教，而必以现象世界之幸福为作用？曰：世固有厌世派之宗教若哲学，以提撕实体世界观念之故，而排斥现象世界。因以现象世界之文明为罪恶之源，而一切排斥之者。吾以为不然。现象实体，仅一世界之两方面，非截然为互相冲突之两世界。吾人之感觉，既托于现象世界，则所谓实体者，即在现象之中，而非必灭乙而后生甲。其现象世界间所以为实体世界之障碍者，不外二种意识：一、人我之差别，二、幸福之营求是也。人以自卫力不平等而生强弱，人以自存力不平等而生贫富。有强弱贫富，而彼我差别之意识起。弱者贫者，苦于幸福之不足，而营求之意识起。有人我，则于现象中有种种之界画，而与实体违。有营求则当其未遂，为无已之苦痛。及其既遂，为过量之要索。循环于现象之中，而与实体隔。能剂其平，则肉体之享受，纯任自然，而意识

界之营求泯，人我之见亦化。合现象世界各别之意识为浑同，而得与实体吻合焉。故现世幸福，为不幸福之人类到达于实体世界之一种作用，盖无可疑者。军国民、实利两主义，所以补自卫自存之力之不足。道德教育，则所以使之互相卫互相存，皆所以泯营求而忘人我者也。由是而进以提撕实体观念之教育。

提撕实体观念之方法如何？曰：消极方面，使对于现象世界，无厌弃而亦无执着；积极方面，使对于实体世界，非常渴慕而渐进于领悟。循思想自由言论自由之公例，不以一流派之哲学一宗门之教义梏其心，而唯时时悬一无方体无始终之世界观以为鹄。如是之教育，吾无以名之，名之曰世界观教育。

虽然，世界观教育，非可以旦旦而聒之也。且其与现象世界之关系，又非可以枯槁单简之言说袭而取之也。然而何道之由？曰美感之教育。美感者，合美丽与尊严而言之，介乎现象世界与实体世界之间，而为津梁。此为康德所创造，而嗣后哲学家未有反对之者也。在现象世界，凡人皆有爱恶惊惧喜怒悲乐之情，随离合生死祸福利害之现象而流转。至美术则即以此等现象为资料，而能使对之者，自美感以外，一无杂念。例如采莲煮豆，饮食之事也，而一入诗歌，则别成兴趣。火山赤舌，大风破舟，可骇可怖之景也，而一入图画，则转堪展玩。是则对于现象世界，无厌弃而亦无执着也。人既脱离一切现象世界相对之感情，而为浑然之美感，则即所谓与造物为友，而已接触于实体世界之观念矣。故教育家欲由现象世界而引以到达于实体世界之观念，不可不用美感之教育。

五者，皆今日之教育所不可偏废者也。军国民主义，实利主义，德育主义三者，为隶属于政治之教育。（吾国古代之道德教育，则间有兼涉世界观者，当分别论之。）世界观、美育主义二者，为超轶政治之教育。

以中国古代之教育证之，虞之时，夔典乐而教胄子以九德，德育与美育之教育也。周官以卿三物教万民，六德六行，德育也。六艺之射御，军国民主义也。书数，实利主义也。礼为德育；而乐为美育。以西洋之教育证之，希腊人之教育为体操与美术，即军国民主义与美育也。欧洲近世教育家，如海尔巴脱氏纯持美育主义。今日美洲之杜威派，则纯持实利主义者也。

以心理学各方面衡之，军国民主义毗于意志；实利主义毗于知识；德育兼意志情感二方面；美育毗于情感；而世界观则统三者而一之。

以教育界之分言三育者衡之，军国民主义为体育；实利主义为智育；公民道德及美育皆毗于德育；而世界观统三者而一之。

以教育家之方法衡之，军国民主义，世界观，美育，皆为形式主义；实利主义为实质主义；德育则二者兼之。

譬之人身：军国民主义者，筋骨也，用以自卫；实利主义者，胃肠也，用以营养；公民道德者，呼吸机循环机也，周贯全体；美育者，神经系也，所以传导；世界观者，心理作用也，附丽于神经系，而无迹象之可求。此即五者不可偏废之理也。

本此五主义而分配于各教科，则视各教科性质之不同，而各主义所占之分数，亦随之而异。国语国文之形式，其依准文法者属于实利，而依准美词学者，属于美感。其内容则军国民主义当占百分之十，实利主义当占其四十，德育当占其二十，美育当占其二十五，而世界观则占其五。

修身，德育也，而以美育及世界观参之。

历史、地理，实利主义也。其所叙述，得并存各主义。历史之英雄，地理之险要及战绩，军国民主义也；记美术家及美术沿革，写各地风景及所出美术品，美育也；记圣贤，述风俗，德育也；因历史之有时期，而推之于无终始，因地理之有涯涘，而推之于无方体，及夫烈士、哲人、宗教家之故事及遗迹，皆可以为世界观之导线也。

算学，实利主义也，而数为纯然抽象者。希腊哲人毕达哥拉士以数为万物之原，是亦世界观之一方面；而几何学各种线体，可以资美育。

物理化学，实利主义也。原子电子。小莫能破，爱耐而几（Energy），范围万有，而莫知其所由来，莫穷其所究竟，皆世界观之导线也；视官听官之所触，可以资美感者尤多。

博物学，在应用一方面，为实利主义；而在观感一方面，多为美感。研究进化之阶段，可以养道德，体验造物之万能，可以导世界观。

图画，美育也，而其内容得包含各种主义：如实物画之于实利主义，历史画之于德育是也。其至美丽至尊严之对象，则可以得世界观。

唱歌，美育也，而其内容，亦可以包含种种主义。

手工，实利主义也，亦可以兴美感。

游戏，美育也；兵式体操，军国民主义也；普通体操，则兼美育与军

国民主义二者。

上之所著，仅具荦较，神而明之，在心知其意者。

满清时代，有所谓钦定教育宗旨者，曰忠君，曰尊孔，曰尚公，曰尚武，曰尚实。忠君与共和政体不合，尊孔与信教自由相违（孔子之学术，与后世所谓儒教、孔教当分别论之。嗣后教育界何以处孔子，及何以处孔教，当特别讨论之，兹不赘），可以不论。尚武，即军国民主义也。尚实，即实利主义也。尚公，与吾所谓公民道德，其范围或不免有广狭之异，而要为同意。唯世界观及美育，则为彼所不道，而鄙人尤所注重，故特疏通而证明之，以质于当代教育家，幸教育家平心而讨论焉。

一九〇〇年以来教育之进步

（一九一五年）

（甲）大会的问题

世界进化之公例，程度愈高，则速率愈增，以地质学、生物学、文明史证之而可见也。自一九〇〇年以来，仅历十五年耳，而其间可为教育界进步之标识者，有二大端：

一在学理方面，为实验教育学之建设。盖教育学之所以不成为科学者，以其所根据者，为哲学家之理想，而不本诸实验也。前世纪之季，实验心理学既已成立，于是由其中特别之部分，所谓儿童心理学，而演为实验教育学。虽在今日，其发展程度尚不及实验心理学之完全，而自千九百七年间，摩曼氏之《实验教育学讲义》发行，创立统系组织，科学之基础为之确定，是为教育学之一新纪元也。

一在事实方面，为教育之脱离于宗教。法国自千八百八十六年间，已易学校之宗教科为道德及文化，教士会 Congrégation 会员不得复充国民学校教习。千九百一年，定集会律，非经特别认许，不得立教士会。然教士会尚假教员会之名号以存立，其会员仍得厕身于教员之列，以密行其主义。及千九百十二年定律，无论男女，凡委身教会者，均不得复为国民学校〈教〉员。于是普通教育始脱离教会之势力范围。虽教会之私立学校不在禁例，而其势力决不能与国立学校抗行，可断言也。

在我中华，孔子之道，虽大异于加特力教，而往昔科举之制，含有半宗教性质。废科学〔举〕而设学校，且学校之中，初有读经一科，而后乃

废去，亦自千九百年以来积渐实行，亦教育界进步之一端也。

中等教育

中等教育，常含有三种作用：（一）高于小学教科之普通学；（二）应用于职业之能力；（三）高等教育之预备是也。现今各国中学校之组织，多兼此三作用而有之，故科目不能不繁重；而毕业以后，例必匄狥其一部分，则前日修此一部分之日力，均为徒费。且缘此而使他部分之课程不得不有所减杀，此诚不经济之尤者也。夫进化之例，先浑而后口。建设之始，各种机关，不能同时并举，以一机关兼种种之作用，可也。今则分工之义大著。以中等教育言之，自小学以后之进级学校 Fortbildungsschule、以至中等之农、工、商业实习学校，所以养成适应于职业之能力者，设备甚周，乃犹于中学校中为少许之准备，不亦赘乎！其为高等教育之预备者，如较高之理、算，如同时之外国语，犹与他作用不无关系。至于古代语言，如希腊、拉丁，则专为大学之预备，奚必为中学之常课乎？窃以中学校当纯然为高等普通教育之机关，俟有延长义务教育之能力，则可与今日之小学教育冶而为一。其应用于职业之作用，悉让诸职业教育。而高等教育之预备，则于高等教育中附设机关而施行之。如是，则蹊径分明，而生徒之日力不致糜费矣。

乡村教育

乡村学校优于城市之学校者有三：空气新洁，适于卫生，一也；校外多有山林，宜于晨夕之运动，自然界之观察，二也；渐染于勤朴之俗，三也。是以近世英、德教育家皆提倡之。然乡村学校之劣点亦复不少：教员孤陋寡闻，不能发展新思想，一也；宗教之固执拘忌之流行，乡村常甚于城市，二也；校中经济，半取给于学生之操作，如榨乳、艺蔬之属，师弟之间，营营于口腹问题，而鲜有高尚之观感，三也。夫城市之间，不独自然之空气至不洁也，即精神界之空气，亦贻害于儿童者不浅。侈靡之俗尚，恶薄之行为，鄙背之书报，触目皆是，教育之力不足以敌之。故大城市中青年之堕落者与年俱增。然则乡村学校者，不但乡村儿童有受此教育之幸福，即城市之儿童，亦不可不移就乡村而教育之。至于乡村学校之缺点，即自有补救之道，一学校之经济，合城市、乡村之力而供给之，学校之设备必完，其建筑及陈设必尽美。附设藏书楼，以供师生之涉览。厚教员之俸给，使不必营于米、盐琐悉之务。得与城市之教育家通声气；延学问家以时至校,为通俗之演讲;以图画或影戏介绍各在文明之纪念;教员以时率学生,而旅行于文明之都会,以赏鉴其著名之建筑,与夫收藏之美术品。如是,则兼有乡村及城市之长,而悉去其短矣。

教育之高尚理想

人类者,动物之一种。保持生命,继续种性之本能,动物所同具也。人类之所以视他动物为进化者,以有理想。教育者,养成人格之事业也。使仅仅为灌注知识、练习技能之作用,而不贯之以理想,则是机械之教育,非所以施于人类也。教育界中所不可缺之〈理〉想,大要如下:

一曰调和之世界观与人生观。夫世界果为何物,吾人之在世界,究居何等地位,是为哲学界聚讼之问题,诚不宜以举一废百之道强立标准。然无论何人,不可不有其一种之世界观及其与是相应之人生观,则教育之通则也。夫以世界之溥博如是,悠久如是,而吾人仅仅于其间占有数尺之形体,数十年之生命。然则以人生为本位,而忘有所谓世界观者,其见地之湫隘,所不待言。然溥博者,极微之所积,悠久者,至暂之所延,且所谓溥博而悠久者,亦无以质言其为世界之真相,而特为极微而至暂者之所想象。然则持宇宙论而不认有人生之价值者,亦空漠之主义也。纯正之理想,不可不为世界观与人生观之调和。中国宋代哲学家陆象山曰:"宇宙内事,即己分内事;己分内事,即宇宙内事。"其一例也。

二曰担负将来之文化。世界,进化者也。后起者得前辈之事业以为凭借,苟其能力不逊于前人,则其所成立者,必较前人为倍蓰之进步。况教育为播种之业,其收效尚在十年以后,决不得以保存固有之文化为的,而当为更进一步之理想。中国古代之《盘铭》曰:"苟日新,日日新,又日新。"此其例也。

三曰独立不惧之精神。夫教育之业,既致力于将来之文化,则凡抱陈死之思想、扭目前之功利、而干涉教育为其前途之障碍者,虽临以教会以势力,劫以政府之权威,亦当孤行其是、而无为所屈。昔苏革拉底行其服从真理之教育,为守旧者所嫉,至于下狱、受鸩而不易其操。此其例也。

四曰安贫乐道之志趣。教育之关系,至为重大,而其生涯,乃至为冷淡。各国小学教员之俸给,有不足以赡其家者。夫人苟以富贵为鹄的,则政治、实业之途,唯其所择;今舍之而委身于教育,则必于淡泊宁静之中,独有无穷之兴趣,虽高官厚禄,不与易焉。孔子曰:"饭蔬食,曲肱

而枕之，乐亦在其中矣，不义而富且贵，于我如浮云。"谛阿舍纳 Diogene 偃息桶中，亚历山大王问何所欲？对曰：欲汝无掩我日光而已。此其例也。

夫以当今物质文明之当王，拜金主义之盛行，上述诸义，几何不被目为迂阔，然教育指导社会，而非随逐社会者也，则乌得不于是加之意焉。

（乙）分会问题

幼稚园教育　幼稚教育之扩充

自来言教育者，莫不以家庭教育为重大问题。然求之实际，往往不逮所望：为父母者未必解教育之理，一也；囿于职务而无暇为教育子女之准备，二也；家庭之习惯，在成人行所无事，而或有害于儿童之心理，三也。自物质文明之发展，生存竞争之增剧，而家庭教育之实行，益多障害。富者以图逸乐、逐酬应之故，而委其子女于保姆。贫者以谋生计、操家政之故，而放任子女于自由。是以有幼稚园之教育。且创立之始，大抵为三岁以上之儿童而设，而今则大都会兼为一岁以上之儿童设之，其为鉴于家庭教育之不可能，而以是补充之，彰然可见也。

虽然，中国古语有云：教子婴孩。未及一岁之儿童，果可于其体育、德育之事，一不措意乎？且中国古代，尝有胎教之制。汉儒刘向（西历前一世纪人）于所作《列女传》中，言之曰：古者，妇人妊子，寝不侧，坐不边，立不跸，食不邪味，割不正不食，席不正不坐，目不视于邪色，耳不听于淫声，夜则令瞽诵诗，道正事。如此，则生子形容端正，才必过人矣。又言：周文王之母大任（西历前十三纪顷）有娠，目不视恶色，耳不听淫声，口不出恶言，能以胎教。夫人类遗传之规则，胎儿灵性之有无，在今日虽尚为聚讼之问题，然孕妇之疾病、羸弱与夫非常之激动，不能不影响于胎儿，为生理上所可信；体魄与心灵有密切之关系，又为近世所公认者；然则胎教之说，当亦不无假定之价值也。于是由幼稚园之命意而推究之，见有不可不扩充者二：

一曰未及一岁婴儿之保育所。凡此等婴儿之生而无母或其母有故不能自育者，以曾受特别教育之保姆育之，所不待言；即有母而且能自育者，亦得携儿而来，于适宜之建筑，循普通之规则，而无以生计家政之属分其心。

二曰孕妇摄养所。其建筑，其陈设，其间起居、饮食之规则，劳逸之条件，所展览之图书，皆参合卫生术、美学、教育学之原理而规定之。凡孕妇皆得居焉。其贫者且得以公费协助其生计焉。

斯二者，在殷实之都市，力足以创举之，使教育家得缘是而增一种之实验。验之而有益，则他日以渐推广，或如今日之幼稚园，未可知也。

小学教育　对于国民教育及实利教育之商榷

小学教育者，纯粹之普通教育也。无论何人，其长成后，无论营何等职业，持何等信仰，居何等地域，皆不可以不受如是之教育，是之谓普通。如是，则定小学教育之主义，有二界说焉：

一曰当以受教育者之本体为标准，而不当以受教育者为何等他人或何等社会之器械而准一他人或一社会之需要以为标准。

二曰当以受教育者全体能力之发达为标准，而不当以其一部分能力之发达为标准。

自十八世纪以来，经卢骚、沛斯泰洛齐诸氏之提倡，旧时宗教教育，以宗教社会为标准，而专以发达信仰一方面之感情为教育者，既渐杀其势力；然以近世帝国主义之激进，物质文明之狂热，而其影响于教育界者，亦有二蔽焉：

一曰极端之国民教育。夫人类为社会性之动物，于其本性，即含有适应社会之能力，固不得有离绝社会关系之各人，而要亦不容有消尽各人价值之社会。世界进化，常分向极大及极微之两方面而进行，而于其间得调和之公例。天文学之所考察，日渐广远，而元子论之所发见，则日益精眇，然最微之电子与最远之恒星有共通之性质焉。群性之发展，自人道主义而达于动物之爱护；各性之发展，由居住身体而达于思想之自由，然对于群之义务、对于己之权利有并行不悖之规道焉。

国家者，群性所历之一阶级，介乎家庭及世界之间者焉。自政治家翘国家以为至尊无上之群制，以国外之世界为其战场，而以国内之人民为其器械，而且恃政府之强权，强以此等主义行于小学主义之中，养成其尊慢己国、蔑视他族、蹂躏人道、增进兽性之习惯；对于所征服之民族，所殖地之区域，则又施其一种特别之教育，并举其固有之语言若列史而摧灭之。是岂群性之本义，抑亦少数强权者之妄念云尔。内之酿社会之傲扰，

外之启世界之战争,其成效可睹矣。教育家而为服从公理、尊重人权起见,不可不于今日之极端国民教育加以矫正也。

二曰极端之实利主义。夫人类自有生以后,即不能遁乎厚生利用之范围。以记诵为常课、而屏除致用各科者,诚与人性相违。且教科过重抽象,则神经受过度之刺激,而且启情窦早开之弊。故普通教育中多列手工诸科,不得不视为至当。即如德佛伊氏 Dewey 一派,欲以烹饪、裁缝及金工诸工为一切科学之导线者,其理论之直当,所不待言。唯今日实利教育之趋势,殆有以致用诸科为足尽教育之能事,而屏斥修养心性之功者,则未敢以为然也。夫人生不过数十寒暑耳,其间困苦艰难之阅历,不知凡几,何以吾人不采厌世主义,而必认此生存之价值,此未尝以哲学之目的论演绎之,而特以归纳所得,人人有此生存之欲望。且求诸生物学,而知此欲望为生物之所公有,故吾人不能不认其价值耳。然人类于自求生存以外,又自有对于真善美之欲望,此亦非以哲学之目的论演绎之,而于心理学之实验归纳而得之。中古时代之教育,偏于一部分之心理,而不及生理一方面,诚为偏隘。今也,偏重生理一方面,而于心理一方面均漠视之,不亦矫枉而过其正乎?健全之精神,必宿于健全之身体,衣食足而后知荣辱,生理之影响于心理也有然;科学知识、美术思想为发达工艺之要素,利用厚生之事业,非有合群之道德心,常不足以举之,心理之影响于生理,不亦有然乎!夫通功易事之制,于今为盛。在职业教育以上,自不必有顾此失彼之顾虑。小学教育既以遵循天性、养成人格为本义,则于身、心两方面,决不可有偏废,而且不可不使为一致之调和。此则对于极端之实利主义而不可不加以补正者也。

体育　论奖励及竞胜之有妨于体育

体育者,循生理上自然发达之趋势,而以有规则之人工补助之,使不致有所偏倚。又恐体操之使人拘苦也,乃采取种种游戏之方法,以无违于体育之本义者为准。其用意如此而已。夫人类有游戏之嗜好,而儿童为尤甚。既有此种种娱乐之方法,一经厘定秩序,则生徒之乐于从事也,自较智育、德育诸科为甚,初不待别有助长之法也。技之有巧拙,力之有强弱,别为问题,于体育无与焉。

而近日教育界乃亦采奖励、竞胜等法,以为助长体育之作用,吾以为有害而无益:

一曰生理上之害。生徒之中，官能有钝锐之别，体力有强弱之差，于体育之本义何害？唯求以各以本身为标准，使不致过惰而不及其格，过激而转损其躯，此体育之本义也。一涉竞胜，则人人以好胜之故，而为过激之运动，所伤实多。且各种游戏，各有其裨补于生理上一部分之特长，故以体育之本义衡之，当循环演习，而不宜有所偏重。一涉竞胜，则人不能不择其可以制胜之技，而专门演习，则生理上一部分偏于发展，而其他部分不能与之适应，失体育之本义矣。

二曰教科体育与知育、德必各保其平衡。知、德诸科，教育家皆知助长之为害，故积分之制，试验之制，皆渐即于淘汰。今于体育方面，特采奖励、竞胜之法，则生徒必缘此而于体育一方面为倍蓰之练习，而知、德各科，不免有所偏废矣。

三曰心理上之害。体育者，对于己之关系者也。一涉竞争，则为对于人之关系。未竞之先，有希冀之心。既竞以后，胜者，于己为骄矜，于人为蔑视；负者，于己为愧恧，于人为忮忌。是皆心理上之恶德也。故吾以为体育必排除琴〔奖〕励及竞胜等种种助长之方法，而一以生理学为标准。

附：一九○○年以来世界之教育进步（要点）

实验教育学。法国屏厦教员会。

教育行政　宜渐脱教会及政府之管理，而递于教育团体。

乡村教育　优于城市之点颇多，补救其孤陋之弊。

中等教育　宜分别普通与专门二种，前者专为较高之普通，后者属于职业。其为高等教育预备者，宜附设于高等教育之机关。

教育之高尚理想　适当之宇宙观及人生观。将来之文化。独立不倚（不为教会或政党所牵帅）。安贫乐道，遁世无闷。教员人格与生徒之影响。

右通会

教员之共同组织

幼稚园教育　三年以后。一年以后。胎教。孕妇别居。一年以内抚子者之别居。

体育　奖励之害。竞技之害。

初等教育　近世之趋势，在实利主义，然不可不济以世界观及美感之教育。以人为本位，不得以社会之需用而强人以就之（如属地同化主义，如军国民主义等）。以完全之人格为本位，不得以动物通性限之。以全世界人类平等之眼光为标准，不得以教宗、门第、阶级等区别之。

职业及应用美术教育　普通之教育，大别为工作者与管理者二类。为欲挽。

华法教育会之意趣

（一九一六年三月二十九日）

今日为华法教育会发起之日，鄙人既感无限之愉快，尤抱无限之希望。

盖尝思人类事业，最普遍、最悠久者，莫过于教育。人类之进化，虽其间有迟速之不同，而其进行之涂辙，常相符合。则人类之教育，宜若有共同之规范。欲考察各民族之教育，常若不能不互相区别者，其障碍有二：一曰君主，二曰教会。二者各以其本国、本教之人为奴隶，而以他国、他教之人为仇敌者也。其所主张之教育，乌得不互相歧异？

现今世界之教育，能完全脱离君政及教会障碍者，以法国为最。法国自革命成功，共和确定，教育界已一洗君政之遗毒。自一八八六年、一九〇一年、一九一二年三次定律，又一扫教会之霉菌，固吾侪所公认者。其在中国，虽共和成立，不过四年有奇，然追溯共和成立以前二千余年间，教育界所讲授之学说，自孔子、孟子以至黄梨洲氏，无不具有民政之精神。故君政之障碍，拔之甚易，而决不虑其复活。中国又素行信仰自由之风。道、佛、回、耶诸教，虽得自由流布，而教育界则自昔以儒家言为主。儒家言本非宗教，虽有祭祀之礼，然其所崇拜者，以有功德于民、及以死勤事等条件为准，与法国哲学家孔德所提议之"人道教"相类。至今日新式之学校，则并此等儒家言而亦去之。是中国教育之不受君政、教会两障碍，固与法国为同志也。

教育界之障碍既去，则所主张者，必为纯粹人道主义。法国自革命时代，既根本自由、平等、博爱三大义，以为道德教育之中心点，至于今且益益扩张其势力之范围。近吾于弥罗君所著《强权嬗于强权论》中，读去

年二月间法国诸校长恳亲会之宣言,有曰:"我等之提倡人权,既历一世纪矣,我等今又为各民族之自由而战。"又于本年三月十五日之日报,读欧乐君之《理想与意志竞争论》,有曰:"法人之理想,不问其为一人,为一民族,凡弱者亦有生存及发展之权利,与强者同。而且无论其为各人,为各民族,在生存期间,均有互助之义务,例如比利时、塞尔维亚、葡萄牙等,虽小在体魄,而大在灵魂,大在权利,不可不使占正当地位于世界以独立而进行。"其为人道主义之代表,所不待言。

其在中国,虽自昔有闭关之号,然教育界之所传诵,则无非人道主义。例如孔子作《春秋》,区人治之进化为三世:一曰据乱世(由乱而进于治),二曰升平世(小康),三曰太平世。据乱之世,内其国而外诸夏(内者亲也,外者疏也);升平之世,内诸夏而外夷狄;太平之世,夷狄进至于爵(与诸夏同),天下远近大小若一。(以上见何休《公羊传解诂》)教化流行,德泽大洽,天下之人人有士君子之行而少过矣。(以上见董仲舒《春秋繁露·俞序篇》)孔子又尝告子游曰:"大道之行也,天下为公,选贤与能(与者举也),讲信修睦。故人不独亲其亲,不独子其子,使老有所终,壮有所用,幼有所长,鳏寡孤独废疾者皆有所养,男有分,女有归,货恶其弃于地也,不必藏于己,力恶其不出于身也,不必为己。是故谋闭而不兴,盗窃乱贼而不作,故外户而不闭,是谓大同。"又曰:"圣人以天下为一家,中国为一人。"其他如子夏言:"四海之内皆兄弟",张横渠言,"民吾同胞",尤与法人所唱之博爱主义相合。是中国以人道为教育,亦与法国为同志也。

夫人道主义之教育,所以实现正当之意志也。而意志之进行,常与知识及感情相伴。于是所以行人道主义之教育者,必有资于科学及美术。法国科学之发达,不独在科学固有之领域,而又夺哲学之席,而有所谓科学的哲学。法国美术之发达,即在巴黎一市,观其博物院之宏富,剧院与音乐会之昌盛,美术家之繁多,已足证明之而有余。至中国古代之教育,礼、乐并重,亦有兼用科学与美术之意义。《书》云:"天秩有礼"。礼之始,固以自然之法则为本也。唯是数千年来,纯以哲学之演绎法为事,而未能为精深之观察,繁复之实验,故不能组成有系统之科学。美术则自音乐以外,如图画、书法、饰文等,亦较为发达,然不得科学之助,故不能有精密之技术,与夫有系统之理论。此诚中国所深欲以法国教育为师资,而又多得法国教育之助力，以促成其进化者也。

今者承法国诸学问家之赞助，而成立此教育会。此后之灌输法国学术于中国教育界，而为开一新纪元者。实将有赖于斯会。此鄙人之所以感无限之愉快，而抱无限之希望者也。敬为中国教育界感谢诸君子赞助之盛意，并预祝华法教育会之发展。华法教育会万岁！

在北京通俗教育研究会演说词

（一九一六年十二月二十七日）

　　鄙人出游列邦日久，于祖国内情，诸多隔阂。此次重履故土，辱承诸君子不弃，敦嘱演说。唯鄙人自顾学识谫陋，有负诸君子厚望，然又不敢自秘。兹将此次游历各国时，于通俗教育上所见所闻，为诸君子缕陈之。

　　夫通俗教育研究会创立未久。聆诸君报告，各项成绩已属昭然。足征贵会诸君子热心毅力，始克臻此。鄙人良深钦仰。窃以通俗教育在二十世纪中，实为当务之急。尝谓世界各事之进步，其动因皆由于有不平者而欲使之平。总观世界史乘，最初以不平而起潮流者，厥为宗教。彼时教皇之势力，虽君主莫敌。不特此教与彼教争，即一教之中，亦阶级悬殊，争斗蜂起。甚有因仇视异教而施之极刑者。说者谓教祸时代之教规，实较专制君主之刑法为厉，洵不虚也。其结果遂有信教自由之说，以救济其不平。乃宗教之潮流方息，而政治上不平之潮流，即继之而起。盖一国之政治，操之少数人之手，权势偏重，最易生反动力。法兰西之大革命，美利坚之脱离羁束，各起极大之战争，其结果遂有立宪政治之产出，而剂其不平。乃政治之潮流方息，而社会不平之潮流又因之而起。如较近因贫富之不平，而启劳动家与资本家之纠讼。盖因少数之资本家役使大多数之劳动家，以增殖其产业。而劳动家乃转不免于冻馁，其不平也实甚。于是有社会主义之发现。近日欧美各国，此种主义日益发展。顾欲达到目的，事亦非易。盖贫富阶级，最不易消弭也。近日之富人，亦或赞成此种主义而试行之者，散其资财以与贫农，或划一区域以试验共产主义之实行。乃其结果转与初旨相反。迨加以研究，始知彼劳动家之失败，由于未受平等之教育。近时欧西各国，义务教育虽已甚完备，然此制仅施之全国学龄之儿童，且所授者仅为初级之普通知识。若高深之学术，则仍为有力者所垄断。各国贤者，已图力矫此弊。鄙人在德国时，尝见彼邦之大学生徒，每于校外出其所长，教授一般工人以实用知识或外国语言。至法国则有所谓平民大学，为大学教员所组织，专在夜间讲演，无论何人均得入校听讲，不因贫富年龄之故稍有歧异。凡此皆所以济教育之不平，而期于普及。今通俗教育研究会之设，所研究者即此使不平者渐跻于平之义也。顷聆诸君报告，各股成绩，已甚优美。将来转移风化，实唯诸君是赖。唯以鄙见所及，三股虽均属重要，而以讲演之范围为较广，着手亦难。盖讲演者之心理，纯借口讲指画为表示，务须有得于心，尽人皆晓，庶得良好之结果。佛教中之讲演经典，耶教中之传播圣经，均用此法。在昔宋明儒者之讲学亦然。鄙人对于此事，亦未能多有所贡献。唯望诸君尽力以为之而已。

小说于教育上尤有密切之关系，往往有寝馈其中而得获知识者。昔时尚无人注意及此。近自西学输入，翻译彼邦小说，日渐繁多，国人始稍稍注意。小说家之名，已见于《汉书艺文志》。自唐以后，小说渐盛。综观我国小说，强半多涉男女之情。其故由于我国男女之防素严，作小说者，往往多借文字以发泄其怀抱。其他则不外乎鬼怪神仙之谈。如《水浒》、《红楼梦》等书，在昔人已有目为诲淫诲盗者。足征论者已认此种小说，为有教育之价值。著《水浒传》者，实抱有一种革命思想。此种思想，在今日视之，固已为过去之成迹，然在当时，亦可谓有价值之书矣。又如《三国演义》一书，尽人皆知。其中结构，以诸葛孔明为主要之人物，而曹孟德则为其对待者。其于曹孟德，固目为奸雄，然亦极写其智谋材力，为人所莫及。而其写诸葛也，亦适成为一机械变诈之人物，实与其写曹孟德不甚相远。要之此书之写上等人物，实不外乎权术用事，纯恃手段制胜而已。颇有人谓我国近时最著名之某公，其一生行事即取法乎《三国演义》所写之人物，其后卒因以致败。昔人之思想，其不适用于今日之世界也，审矣。又如《石头记》一书，世人多视为言情小说，其实为政治小说。书中述男女交际，皆取放任主义。其后有《儿女英雄传》一书，则专持与《石头记》相反之主义，为旧思想之代表而已。总计中国小说，其著名者大略如此。欧洲各国小说，在文学界中，位置素高。近时则自然派盛行，如法国之弗罗贝尔及淑拉，德国之许特曼等皆是。俄国之托尔斯泰，吾国人多知其名，彼亦即自然派中之一人。且尝著书反对英国之大戏剧家

莎士比亚,谓其所著不合自然。所谓自然派者,其所述事实必皆为情理上所可有,而绝不容有虚无缥缈之谈。如我国小说之侈言神仙鬼怪。此亦因近世科学日臻发达,故小说亦因科学之潮流而转移也。就教育家之眼光审谛小说,固必取隐恶扬善之意。唯小说家之笔墨,写君子难而写小人易。试观各国之操新闻事业者,为动阅者之目起见,往往搜集各种新奇之侦探案,将案中细情曲意描摹,载诸报纸之上。为营业起见,计固良得。然阅者之脑筋,日日印入此非法行为,难保不因之而感染。尝闻有人日阅医家之治症告白,久而久之,其人果患与告白相类之病症。以此例彼,其关系于人心也巨矣。世界万事,有阴必有阳,有暗必有明。作小说者讵能违乎此旨。顾西国所谓自然派之小说,笔底虽写黑暗之状,而目光常注光明之点。我国之作者则不然,如近时所传之《官场现形记》等书,其描写黑暗情形,可谓淋漓尽致。然不能觅得其趋向光明之径线,则几何不牵帅读者而使之沉溺于黑暗社会耶!

讲演能转移风气,而听者未必皆有兴会。小说之功,仅能收之于粗通文义之人。故二者所收效果,均不若戏剧之大。戏剧之有关风化,人所共认。盖剧中所装点之各种人物,其语言动作,无一不适合世人思想之程度。故舞台之描摹,最易感人。且我国旧剧中之白口,均为普通语言,听之者绝无隔膜之弊。未受教育之人,因戏剧而受感触者,恒较为锐敏。尝见北京旧日戏园有所谓池座者。大抵为不识字之人所占,而每次采声,必先发自池座。近人主张改良戏剧,莫不致力于新剧之编纂。窃谓新剧初起,其感化社会之力,或尚不及改良之旧剧。盖旧剧之体裁,久已印入人心,而新剧则尚未习惯,又编演者程度幼稚,或不足以动人,故不能与旧剧相抗衡也。就中国往事观之,旧剧感人之魔力,实为至巨。如清季拳匪之祸,肇于刚毅诸人,而此辈之见识,纯由观剧而得。刚毅尝谓人曰:"董福祥者,我之黄天霸也。"是即受施公案等戏剧之教育者。拳匪之不曰"神仙下界",即曰"天将来助",亦即本之于我国戏剧。更有一事与西人相反者,即西人重视悲剧,而我国则竞尚喜剧。如旧剧中述男女之情,大抵其先必受种种挫折,或男子远离,女子被难,一旦衣锦荣归,复相团聚,此等情节,千篇一律。例如《续西厢记》之必述张生及第归来,复与莺莺团圆之类。曾不知天下事,有成必有败,岂能尽如人愿而无丝毫之缺憾?即以历史人物而论,颜渊敏而好学,不幸短命。屈原,楚之贤大夫也，而自沉于汨罗。唯其如此，始足使千载下动无穷之凭吊。然我国人绝无演此类事于舞台之上者。盖我国人之思想，事事必求其圆满。专制时代之为皇帝者，已属无上之尊，而贪心犹未已。秦皇、汉武，至欲求长生不死之术，亦其例也。西人之重视戏剧也，有将剧本采入学校中之教科书者，其价值可想。考其戏剧，约有数种。其第一种为歌舞剧，即所谓阿泊拉，为戏剧中之最正式者，所演多为悲剧，此种专重歌舞，而无科白，佐以音乐。又有一种，专用科白者，则与中国近时所演之新剧相类，亦以悲剧为多。其所用语言，皆彼国最正国语，故外国之人在彼国者，多借听剧以练习彼国语言。又有小品歌舞剧，则参用歌舞与科白，而多为喜剧。又有一种杂剧院，以滑稽戏、跳舞及各种杂技相间演之。此西国戏剧之大概也。其演剧时间，大率自晚间八时至十二时。自杂剧院外，所演者大抵为完全之一剧。至若中国旧剧，往往戴各种全剧之一节而演之，则甚类西洋之杂剧院也。歌舞剧中之音乐，感人至深，晚近欧洲各国，研究不遗余力，亦时有单纯之音乐会。若以我国之音乐与相比拟，则瞠乎后矣。

关于通俗教育，尚有一轻而易举之法，则电光影戏是也。影戏之成本较轻，而收效至易。近闻英国新流行一种影戏器，尤为省事。盖不必制玻片，即以邮片插入，亦能影出者是也。通行之活动影戏，为迎合观者之心理起见，亦有加入不正当之影片者。德国影戏院中，凡中学校以下生徒，平时不得入览。而于每星期三、六或休假日，特择其较为纯正者演之，始许学生入观。大半为关于科学事理之片，间有滑稽之作，要皆无害于身心者。再如外国模范戏园，国家恒每年酌予巨款以补助之。我国现值财政困难之际，恐一时未克仿行。然如美术馆、博物院、展览会、科学器械陈列所等，均足以增进普通人之智德，而所费亦皆不甚巨。愿希望研究通俗教育者，设法提倡此种有益之举，则获益尤非浅鲜也。以上皆第就个人所见及者，陈说于诸君之前。自愧学识有限，不能多所贡献，唯诸君谅之。

就任北京大学校长之演说

（一九一七年一月九日）

五年前，严几道先生为本校校长时，余方服务教育部，开学日曾有所贡献于同校。诸君多自预科毕业而来，想必闻知。士别三日，刮目相见，况时阅数载，诸君较昔当必为长足之进步矣。予今长斯校，请更以三事为诸君告。

一曰抱定宗旨　诸君来此求学，必有一定宗旨，欲求宗旨之正大与否，必先知大学之性质。今人肄业专门学校，学成任事，此固势所必然。而在大学则不然，大学者，研究高深学问者也。外人每指摘本校之腐败，以求学于此者，皆有作官发财思想，故毕业预科者，多入法科，入文科者甚少，入理科者尤少，盖以法科为干禄之终南捷径也。因作官心热，对于教员，则不问其学问之浅深，唯问其官阶之大小。官阶大者，特别欢迎，盖为将来毕业有人提携也。现在我国精于政法者，多入政界，专任教授者甚少，故聘请教员，不得不聘请兼职之人，亦属不得已之举。究之外人指摘之当否，姑不具论。然弭谤莫如自修，人讥我腐败，而我不腐败，问心无愧，于我何损？果欲达其作官发财之目的，则北京不少专门学校，入法科者尽可肄业法律学堂，入商科者亦可投考商业学校，又何必来此大学？所以诸君须抱定宗旨，为求学而来。入法科者，非为作官；入商科者，非为致富。宗旨既定，自趋正轨。诸君肄业于此，或三年，或四年，时间不为不多，苟能爱惜分阴，孜孜求学，则其造诣，容有底止。若徒志在作官发财，宗旨既乖，趋向自异。平时则放荡冶游，考试则熟读讲义，不问学问之有无，唯争分数之多寡；试验既终，书籍束之高阁，毫不过问，敷衍三四年，潦草塞责，文凭到手，即可借此活动于社会，岂非与求学初衷大相背驰乎？光阴虚度，学问毫无，是自误也。且辛亥之役，吾人之所以革命，因清廷官吏之腐败。即在今日，吾人对于当轴多不满意，亦以其道德沦丧。今诸君苟不于此时植其基，勤其学，则将来万一因生计所迫，出而任事，担任讲席，则必贻误学生；置身政界，则必贻误国家。是误人也。误己误人，又岂本心所愿乎？故宗旨不可以不正大。此余所希望于诸君者一也。

二曰砥砺德行　方今风俗日偷，道德沦丧，北京社会，尤为恶劣，败德毁行之事，触目皆是，非根基深固，鲜不为流俗所染。诸君肄业大学，当能束身自爱。然国家之兴替，视风俗之厚薄。流俗如此，前途何堪设想。故必有卓绝之士，以身作则，力矫颓俗。诸君为大学学生，地位甚高，肩此重任，责无旁贷，故诸君不唯思所以感己，更必有以励人。苟德之不修，学之不讲，同乎流俗，合乎污世，己且为人轻侮，更何足以感人。然诸君终日伏首案前，芸芸攻苦，毫无娱乐之事，必感身体上之苦痛，为诸君计，莫如以正当之娱乐，易不正当之娱乐，庶于道德无亏，而于身体有益。诸君入分科时，曾填写愿书，遵守本校规则，苟中道而违之，岂非与原始之意相反乎？故品行不可以不谨严。此余所希望于诸君者二也。

三曰敬爱师友　教员之教授，职员之任务，皆以图诸君求学便利，诸君能无动于衷乎？自应以诚相待，敬礼有加。至于同学共处一堂，尤应互相亲爱，庶可收切磋之效。不唯开诚布公，更宜道义相勖，盖同处此校，毁誉共之。同学中苟道德有亏，行有不正，为社会所訾詈，己虽规行矩步，亦莫能辩，此所以必互相劝勉也。余在德国，每至店肆购买物品，店主殷勤款待，付价接物，互相称谢，此虽小节，然亦交际所必需，常人如此，况堂堂大学生乎？对于师友之敬爱，此余所希望于诸君者三也。

余到校视事仅数日，校事多未详悉，兹所计划者二事：一曰改良讲义。诸君既研究高深学问，自与中学、高等不同，不唯恃教员讲授，尤赖一己潜修。以后所印讲义，只列纲要，细微末节，以及精旨奥义，或讲师口授，或自行参考，以期学有心得，能裨实用。二曰添购书籍。本校图书馆书籍虽多，新出者甚少，苟不广为购办，必不足供学生之参考。刻拟筹集款项，多购新书，将来典籍满架，自可旁稽博采，无虞缺乏矣。今日所与诸君陈说者只此，以后会晤日长，随时再为商榷可也。

在爱国女学校之演说

（一九一七年一月十五日）

本校初办时，在满清季年，含有革命性质，盖当时一般志士，鉴于满清政治之不良，国势日蹙，有如人之罹重病，恐其淹久而至于不可救药，必觅良方以治之，故群起而谋革命。革命者，即治病之方药也。上海之革命团，名中国教育会。革命精神所在，无论其为男为女，均应提倡，而以教育为根本。故女校有爱国女学，男校有爱国学社，以教育会员担任办理之责，此本校名之所由来也。其后几经变迁，男校因《苏报》案而解散，中国教育会亦不数年而同志星散，唯女校存立至今。辛亥革命时，本校学生多有从事于南京之役者，不可谓非教育之成效也。当满清政府未推倒时，自以革命为精神。然于普通之课程，仍力求完备。此犹家人一面为病者求医，一面于日常家事，仍不能不顾也。至民国成立，改革之目的已达，如病已医愈，不再有死亡之忧。则欲副爱国之名称，其精神不在提倡革命，而在养成完全之人格。盖国民而无完全人格，欲国家之隆盛，非但不可得，且有衰亡之虑焉。造成完全人格，使国家隆盛而不衰亡，真所谓爱国矣。完全人格，男女一也。兹特就女子方面讲述之。

夫完全人格，首在体育。体育最要之事为运动。凡吾人身体与精神，均含一种潜势力，随外围之环境而发达。故欲其发达至何地位，即能至何地位。若有障碍而阻其发达，则萎缩矣。旧俗每为女子缠足，不许擅自出门行走，终日幽居，不使运动，久之性质自变为懦弱。光阴日消磨于装饰中，且养成依赖性，凡事非依赖男子不可。苟无男子可依赖，虽小事亦望而生畏。倘不幸地方有争战之事，敌兵尚未至，畏而自尽者比比矣，又安望其抵抗哉。是皆不运动不发达其身体之故，卒养成懦弱性质，以减杀其自卫之能力与胆量也。欧美各国女子，尚不能免此，况乎中国。闻本校有体育专修科，不特各科完备，且于拳术尤为注意，此最足为自卫之具，望诸生努力，切勿间断。即毕业之后，身任体操教员者，固应时时练习，即担任别种事业者，亦当时时练习。盖此等技术，不练则荒，久练益熟，获益非浅鲜也。

次在智育。智育则属精神方面。精神愈用愈发达。吾前已言及矣。盖人之心思细密，方能处事精详。而习练此心思使之细密，则有赖于科学。就其易于证明者言之，如习算学，既可以增知识，又可以使脑力反复运用，入于精细详审一途。研究之功夫既深。则于处事时，亦须将前一事与后一事比较一番，孰优孰劣，了然于胸，而知识亦从比较而日广矣。故精究科学者，必有特别之智慧胜于恒人，亦由其脑筋之灵敏也。

更言德育。德育实为完全人格之本。若无德，则虽体魄智力发达，适足助其为恶，无益也。今先言我国女子之缺点。女子因有依赖男子之性质，不求自立，故心中思虑毫无他途，唯有衣服必求鲜艳，装饰必求美丽。何也？以其无可自恃也。而虚荣心于女子为尤甚，如喜闻家中之人作官，喜与有势力人往还，皆是。故高尚之品行，未可求诸寻常女界中也。今欲养成女子高尚之品行，非使其除依赖性质有自立性质不可。然自立不可误解，非傲慢自负，轻视他人之谓，乃自己有一定之职业，以自谋生活之谓。夫人果能自谋生活，不仰食于人，则亦无暇装饰，无取虚荣矣。尚有一端，女子之处家庭者，大凡姑媳妯娌间，总是不和，甚至诟谇。其故何在？盖旧时习惯，女子死守家庭，不出门一步，不知社会情状，更不知世界情状，所通声息者，家中姑媳妯娌间而已。耳目心思之范围，既限于极小之家庭，自然只知琐细之事。而所争者，亦只此琐细之事。若是而望女子之品行日就高尚，难乎不难！盖其所处之势使然也。虽然，女子之缺点固多，而优点亦不少。今举其一端，如慈善事业，恻隐之心，女子胜于男子。不过昔时专在布施，反足养成他人懒惰之习。今则当推广爱人以德、与人为善之道。凡有善举，宜使受之者亦出其劳力有益于社会，则其仁慈之心，为尤恳挚矣。女子讲自由，在脱除无理之束缚而已，若必侈大无忌，在在为无理之自由，则为反对女学者所借口，为父兄者必不喜送女子入学。盖不信女学为培养女德之所，而谓女学乃损坏女德之地，非女之幸也。

又今日女子入学读书后，对于家政，往往不能操劳，亦为所诟病。必也入学后，家庭间之旧习惯，有益于女德者保持勿失，而益以学校中之新知识，则治理家庭各事，必较诸未受过教育者，觉井井有条。譬如裁缝，旧时只知凭尺寸剪裁而已，若加以算学知识，则必益能精。如烹饪，旧时亦只知其当然，若加以化学知识，则必合乎卫生。其他各事，莫不皆然。倘女学生能如此，则为父兄者有不乐其女若妹之入学者乎？夫女子入校求学，固非脱离家庭间固有之天职也。求其实用，固可相辅而行者也。美国有师范学校，教授各科，俱用实习，不用书籍。假如授裁缝时，为之讲解自上古至现在衣服之变更，有野蛮时代之衣服与文明时代之衣服，是即历史科也。为之讲解衣服之原料，如丝之产地，棉之产地等，则地理科也。衣服之裁剪，有算法焉。其染色之颜料，有理化之法则焉，是即数学理化科也。推之烹饪等科，亦复如是。寓学问于操作中。可见女学固养成女子完全之人格，非使女子入学后，即放弃其固有之天职也。即如体操科中之种种运动，近亦有人主张徒事运动而无生产为不经济，有欲以工作代之者。庶不消耗金钱与体力，使归实用。此法以后必当盛行。益可见徒知读书，放弃家事，为不合于理矣。

教育工会宣言书

（一九一七年七月十五日）

凡人以适当之勤劲，运用其熟练之技能，而所生效果确有裨益于人类者，皆谓之工。我国自昔分职业为士、农、工、商四类，实则工以外三者，亦得以工赅之。农者，树艺之工也；商者，转运之工也；而士，则为教育之工。古之言士者。亦多歧义，如曰学以居位曰士，或曰以才智用者谓之士，皆若以士为仕之预备也者。故汉之经术，唐之诗赋，明清之经义，凡自命为士者，悉借是以为弋取功名之具。其有益于人与否，非所闻也。若是者，不特无关于教育，而亦不得谓之工。

至若士之任教育者，远若孔、孟，近若朱、王，彼其授徒讲学，著书垂后，固不得不谓之教育家。然其本意，在得位行道，以政治家自见，既不见用，不得已而言教育，犹且自居于宾师之位，以大人之学自命，而鄙农圃为小人，此可谓之教育矣，而不得谓之工。

若乃吾侪之所谓教育，则即认为专门工业之一种，习之有素，持之有恒，量所任之职务以取其所需，与其他之工业同例。故吾侪不谓之士，而谓之教育工。

教育既为工业之一种，则不能自外于世界工业进化之通例。工业之进化也，其始有工会，同业之中所借以互相研讨、互相扶植，而使之进步者也。其从有一国之总工会，则始有以抗资本家若政治家之压制，而伸其自由权；其从有国际总工会，则足以为人道主义之保障，而渐达于理想之世界。此欧美各国工业家之成绩也。而我国诸工不特总工会尚未成立，无以参于国际工会之列，即一种之工、能组织为适当之工会，以为总工会基础，亦尚未有所闻。吾侪乃集同志之教育工，而组织此会以为倡。

是故，吾侪之责任，不独在本会，而尤在各种理想中之，盖吾侪所操之业，无不与各种工业有关系。其为普通教育与，即各工业家之预备也；其为专门教育与，则各工业家练习技能或研求理论之所也。故吾会而不发展则已，及其发展，则必有以促各工会之成立，以集合为总工会，而参加于国际工会。

大学改制之事实及理由

(一九一八年一月)

大学改制之议,发端于本年一月二十七日之国立高等学校校务讨论会。其时由北京大学蔡校长提出议案,其文如下:

窃查欧洲各国高等教育之编制,以德意志为最善。其法科、医科既设于大学,故高等学校中无之。理工科、商科、农科,既有高等专门,则不复为大学之一科。而专门学校之毕业生,更为学理之研究者,所得学位,与大学毕业生同。普通之大学学生会,常合高等学校之生徒而组织之。是德之高等专门学校,实即增设之分科大学,特不欲破大学四科之旧例,故别列一门而已。我国高等教育之制,规仿日本,既设法、医、农、工、商各科于大学,而又别设此诸科之高等专门学校,虽程度稍别深浅,而科目无多差别。同时并立,义近骈赘。且两种学校之毕业生,服务社会,恒有互相龃龉之点。殷鉴不远,即在日本。特我国此制行之未久,其弊尚未著耳。今改图尚无何等困难,爰参合现行之大学及高等专门学校制而改编大学制如下:

(一) 大学专设文、理二科。其法、医、农、工、商五科,别为独立之大学。其名为法科大学、医科大学等。

其理由有二:文、理二科,专属学理;其他各科,偏重致用,一也。文、理二科,有研究所、实验室、图书馆、植物园、动物院等种种之设备,合为一区,已非容易。若遍设各科,而又加以医科之病院、工科之工场、农科之试验场等,则范围过大,不能各择适宜之地点,一也。

(二) 大学均分为三级:一、预科一年;二、本科三年;三、研究科

二年，凡六年。

上案经北京高等师范学校陈校长、北京法政专门学校吴校长、北京医学专门学校汤校长、北京农业专门学校洪校长一致赞同，即于同月三十日由各校长公呈教育部请核准。二月二十三日教育部开会议，列席者总次长、参事、专门司司长、北洋大学校长，及具呈各校长。第一条无异议。于第二条，则多以预科一年为期为太短，又有以研究科之名为不必设者。乃再付校务讨论会复议。二月五日校务讨论会开会议决：大学均分为二级，预科二年，本科四年，凡六年。复于三月五日在教育部会议一次，无异议，乃由教育部于三月十四日发指令曰："改编大学制年限办法，经本部迭次开会讨论，应定为预科二年，本科四年"云云，此改制案成立之历史也。

依上案，则农、工、医等专门学校。均当为改组大学之准备。而设备既需经费，教员尚待养成，非再历数年不能进行。而北京大学则适有改革之机会，于是由评议会议决而实行者如下：

（一）文理两科之扩张　大学号有五科，而每科所设，少者或止一门，多者亦不过三门。欲以有限之经费，博多科之体面，其流弊必至如此。今既以文理为主要，则自然以扩张此两科，使渐臻完备为第一义。然为经费所限，暑假后仅能每科增设一门，即史学门及地质学门是也。

（二）法科独立之预备　北京大学各科以法科为较完备，学生人数亦最多，具有独立的法科大学之资格。唯现在尚为新旧章并行之时，独立之预算案，尚未有机会可以提出，故暂从缓议，唯于暑假后先移设于预科校舍，以为独立之试验。

（三）商科之归并　商科依部令宜设银行、保险等专门，而北京大学现有之商科，则不设专门，而授普通商业，实不足以副商科之名，而又无扩张之经费。故于五月十五日呈请教育部，略谓："本校自本学年始设商科，因经费不敷，不能按部定规程分设银行学、保险学等门，而讲授普通商业学，颇有名实不符之失。现值各科改组之期，拟仿美、日等国大学法科兼设商业学之例，即以现有商科改为商业学，而隶于法科。俟钧部筹有的款创立商科大学时，再将法科之商业专门定期截止"云云。旋即二十三日奉教育部指令曰："该校请将现有商科改为商业学门隶于法科一节，尚属可行,应即照准"云云。

（四）工科之截止　北京大学之工科,仅设土木工门及采矿冶金门。北洋大学亦国立大学也,设在天津,去北京甚近。其工科所设之门,与北京大学同,且皆用英语教授,设备仪器,延聘教员,彼此重复,而受教之学生,合两校之工科计之,不及千人,纳之一校,犹病其寡,徒縻国家之款,以为增设他们之障碍而已。故与教育部及北洋大学商议,以本校预科毕业生之愿入工科者,送入北洋大学,而本校则俟已有之工科两班毕业后,即停办工科。（其北洋大学之法科,亦以毕业之预科生送入本校法科,俟其原有之法科生毕业后,即停办法科,而以其费供扩张工科之用。）

（五）预科之改革　大学预科由旧制之高等学堂嬗蜕而来。所以停办高等学堂,而于大学中自设预科者,因各省所立高等学堂程度不齐,咨送大学后,种种困难也。不意以五年来经验,预科一部、二部等编制及年限,亦尚未尽善。举一部为例,既兼为文、法、商三科预备,于是文科所必须预备而为法、商科所不必设者,或法、商科所必须预备而为文科所不必设者,不得不一切课之。多费学生之时间及心力于非要之课,而重要之课,反为所妨。此一弊也。预科既不直隶各科,含有半独立性质；一切课程,并不与本科衔接,而与本科竞胜：取本科第一年应授之课,而于预科之第三年授之,使学生入本科后,以第一年之课程为无聊,遂挫折其对于学问上之兴趣。且以六年之久,而所受之课,实不过五年有奇,宁不可惜。此二弊也。此亦促进大学改制之一原因。改制以后,预科既减为二年,而又分隶于各科,则前举二弊可去。或有以外国语程度太低为言者,不知新章预科,止用一种外国语,即中学所已习者。习外国语积六年之久,而尚不能读参考书,有是理乎?

大学改制,有种种不得已之原因,如上所述,唯未经宣布。又新旧两章,同时并行,易滋回惑。故外间颇多误会,如前数日《北京日报》之法律、冶金并入北洋大学之说,其实毫无影响。又八月三日、四日之《晨钟报》揭载余以智君之《北京大学改制商榷》,其对于本校之热诚,深可感佩,唯所举事实,均有传闻之误。即如引蔡元培氏之言,谓"文科一科,可以包法、商等科而言也；理科一科,可以包医、工等科而言

也。"询之蔡君,并不如是。蔡君不过谓法、商各科之学理,必原于文科;医、农、工各科之学理,必原于理科耳。若如余君所引之言,则蔡君等主张设文、理二科足矣,何必再为法、医、农、工、商各为独立大学之提议乎?其他类此者尚多,故述大学改制之事实及理由,以告研究大学学制者。如承据此等正确之事实,而加以针砭,则固本校同人之所欢迎也。

新教育与旧教育之歧点
——在天津中华书局"直隶全省小学会议欢迎会"上的演说词

（一九一八年五月三十日）

今日承京津中华书局代表之招，得与诸先生晤言一堂，不胜荣幸。中华书局，为供给教育资料之机关；诸君子皆有实施教育之职务。今日所相与讨论者，自然为教育问题。鄙人于小学教育，既未有经验；又于直隶省教育情形，未有所考察，不能为切实之贡献。谨以平日对于教育界之普通感想，质之于诸先生。

夫新教育所以异于旧教育者，有一要点焉，即教育者非以吾人教育儿童，而吾人受教于儿童之谓也。吾国之旧教育以养成科名仕宦之材为目的。科名仕宦，必经考试，考试必有诗文，欲作诗文，必不可不识古字，读古书，记古代琐事。于是先之以《千字文》《神童诗》《龙文鞭影》《幼学须知》等书；进之以四书、五经；又次则学为八股文，五言八韵诗；其他若自然现象，社会状况，虽为儿童所亟欲了解者，均不得阑入教科，以其于应试无关也。是教者预定一目的，而强受教者以就之；故不问其性质之动静，资禀之锐钝，而教之止有一法，能者奖之，不能者罚之，如吾人之处置无机物然，石之凸者平之，铁之脆者煅之；如花匠编松柏为鹤鹿焉；如技者教狗马以舞蹈焉；如凶汉之割折幼童，而使为奇形怪状焉；追想及之，令人不寒而栗。新教育则否，在深知儿童身心发达之程序，而择种种适当之方法以助之。如农学家之于植物焉，干则灌溉之，弱则支持之，畏寒则置之温室，需食则资以肥料，好光则复以有色之玻璃；其间种类之别，多寡之量，皆几经实验之结果，而后选定之；且随时试验，随时改良，决不敢挟成见以从事焉。故治新教育者，必以实验教育学为根柢。

实验教育学者，欧美最新之科学，自实验心理学出，而尤与实验儿童心理学相关。其所试验者，曰感觉之阈，曰感觉之分别界，曰空间与时间之表象，曰反射，曰判断，曰注意力，曰同化作用，曰联想，曰意志之阅历，曰统觉，凡一切心理上之现象皆具焉。其试验之也，或以仪器，或以图画，或以言语，或以文字。其所为比较者，或以年龄，或以男女之别，或以外界一切之关系，或以祖先之遗传性，因而得种种普通之例，亦即因而得种种差别之点。虽今日尚未达完全之域，然研究所得，视昔之纯凭臆测者，已较有把握矣。

因而知教育者，与其守成法，毋宁尚自然；与其求划一，毋宁展个性。请举新教育之合于此主义者数端。一曰托尔斯泰（Tolstoy）之自由学校，其建设也，尚在实验教育学未起以前，乃本卢梭、裴斯泰洛齐、弗罗贝尔等之自然主义而推演之者；其学生无一定之位置，或坐于凳，或登于桌，或伏于窗槛，或踞于地板，唯其所欲；其课程亦无定时，唯学生之愿，常以种种对象间厕而行之；其教授之形式，唯有问答。闻近年比利时亦有此种学校，鄙人欲索其章程，适欧战起，比为德所据，不可得矣。二曰杜威（Dewey）之实用主义，杜威尝著《学校与普通生活》一书，力言学校教科与社会隔绝之害；附设一学校于芝加哥大学，即以人类所需之衣、食、住三者为工事标准，略分三部，一曰手工，如木工、金工之类；二曰烹饪；三曰缝织，而描画模型等皆属之；即由此而授以学理，如因烹饪而授以化学，因裁缝而授以数学，因手工而授以物理学、博物学，因原料所自出而授以地学，因各时代各民族工艺若服食之不同而授以历史学、人类学等，是也。三曰蒙台梭利之儿童室，即特设各种器具以启发儿童之心理作用者，是也；吾国已有译本，想诸君已见。四曰某氏之以工作为操练说，此说不忆为何人所创，大约以能力说为基础。能力者，西文所谓Energy也，近世自然哲学，以世界一切现象，不外乎能力之转移，如燃煤生热，热能蒸水成汽，汽能运机，机能制器；即一种能力之由煤，而热，而汽，而机，而器，递相转移也。唯能力之转移，有经济与不经济之别，如水力可以运机发电，而我国海潮瀑布之属皆置而不用，是即不经济之一端也。近世教育，如手工图画等科，一方面为目力手力之操练，而一方面即有成绩品，此能力转移之经济者也。其他各种运动，大率止有操练，并无出品，则为不经济之转移。若合个人生理及社会需要两方面而研究之，设为种种手力足力之工作，以代拍球蹴球之戏；设为种种运输之工作，以利用竞走竞漕之役；则悉于体育之中，养成勤务之习惯，而一切过激之动作，凌人之虚荣心，亦可以免矣。其他类是之新说，为鄙人所未知者，尚不知凡几，亦足以见现代教育界之进步矣。吾国教育界，乃尚牢守几本教科书，以强迫全班之学生，其实与往日之《三字经》、四书、五经等，不过五十步与百步之相差。欲救其弊，第一，须设实验教育之研究所。第二，教员须有充分之知识，足以应儿童之请益与模范而不匮。第三，则供给教育品者，亦当有种种参考之图画与仪器，以供教员之取资。如此，则始足语于新教育矣。

教育之对待的发展

（一九一九年二月）

吾人所处之世界，对待的世界也。磁电之流，有阳极则必有阴极；植物之生，上发枝叶，则下茁根荄，非对待的发展乎？初民数学之知识，由一至五而已，及其进步，自五而积之，以至无穷大，抑亦自一而折之，以至于无穷小，非对待的发展乎？古人所观察之物象，上有日月星辰，下有动植水土而已；及其进步，则大之若日月之组织，恒星之光质，小之若微生植物之活动，原子电子之配置，皆能推测而记录之，非对待的发展乎？

教育之发展也亦然。在家族主义时代所教训者，夫妇、亲子、兄弟间之关系，孝悌亲睦而已。及其进而为家族的国家主义，则益以君臣、朋友二伦，所扩张者犹是人与人之关系。而管仲之制，士之子恒为士，农之子恒为农，工之子恒为工，商之子恒为商，幼而习焉，不见异物而迁。李斯之制，焚诗书百家语，欲习法令者，以吏为师。是个人职业教育之自由犹被限制也。进而为立宪的国家，一方面认个人有思想、言论、集会之自由，是为个性的发展；一方面有纳税、当兵之义务，对于国家而非对于君主，是为群性的发展。于是有所谓国民教育者。两方面发展之现象，亦以渐分明。虽然，群性以国家为界，个性以国民为界，适于甲国者，不必适于乙国。于是持军国民主义者，以军人为国民教育之标准；持贵族主义者，以绅士为标准；持教会主义者，以教义为标准；持实利主义者，以资本家为标准。个人所有者，为"民"权而非"人"权；教育家所行者，为"民权的"教育而非"人格的"教育。自人类智德进步，其群性渐溢乎国家以外，则有所谓世界主义若人道主义；其个性渐超乎国民以上而有所谓人权若人格。

科学研究也，工农集会也，慈善事业之进行也，既皆为国际之组织，推之于一切事业，将无乎不然；而个人思想之自由，则虽临之以君父，监之以帝天，囿之以各种社会之习惯，亦将无所畏葸而一切有以自申。盖群性与个性的发展，相反而适以相成，是今日完全之人格，亦即新教育之标准也。持个人的无政府主义者，不顾群性；持极端的社会主义者，不顾个性；是为偏畸之说，言教育者其慎之。

吾友黄郛君著《欧战之教训及中国之将来》，对于吾国教育之计划，有曰："立国于二十世纪，非养成国民兼具两种相反对之性质不可：曰个人性与共同性……今次欧战教训，无论其国民对于国家如何忠实，若仅能待命而动，无独立独行之能力者，终不足以担负国家之大事。年前法国教育家钮渥曾著一论，谓'从前世人尝有一疑问，谓教育之目的，究系为个人乎？抑为社会与国家乎？如为个人也，宜助长个性之发达，是与共同组织有碍也；如为社会与国家也，宜奖励共同性之养成，是阻止个性之发达也。吾今敢确切答复曰：此后国家之生存，必须全体国民同时具备此两面之资格而后可。故此后教育家之任务，在发见一种方法，能使国民内包的个性发达，同时使外延的社会与国家之共同性发达而已矣。'盖唯此二性具备者，方得谓此后国家所需要之完全国民也。"黄君之言，足以证教育对待的发展之义矣。余惜其仅为国民教育言，一间未达，故广其义，以著于篇，备今之言新教育者参考焉。

战后之中国教育问题

（一九一九年九月一日）

欧战以后，世界事物无不改变，教育也要随之而改变的。战前教育偏重国家主义，战后教育定将奉行世界主义。即是说，战前的教育方针在于为国家造就合适人材，战后的教育方针定将是为世界造就合适人材。这是战前战后教育在主义上不同之点。

一 军国民教育

军国民教育的主旨是整齐严肃，绝对服从。此种主义常用军法嘱望学生具有这种精神，并用尊崇皇室的道德，加以激发。这以德国、日本为代表。其中又以德国大学的学生会最为突出。参加这些学生会的，大都是贵族子弟。每个学生会都使用各种中世纪传统服装与徽章。新入会的人必须唯老会员之命是听。当自己成为老会员时，则又对新入会的人发号施令。像陆军学校联队那样。每次集会总暴饮啤酒，练习剑术。当甲乙双方偶尔发生冲突时，往往推出选手，约定日期，进行决斗。决斗方法是将胸部臂部掩护起来，仅露出面部，如面部受伤而倒地，即为击败。决斗本来是法律禁止的，政府却予以默认。因而，德国大学生面部伤痕越多，荣誉也就越高。平民子弟不能参加贵族学生会，则另组自由学生会，在喝啤酒、练剑术之余，还具有研究学问，励行公益的目的。但政府却怕他们接近社会党，时常加以干涉。这些都是军国民教育的缺点。

二 绅士教育

绅士教育以培养少数绅士为目的。绅士就是所谓 Gentlemen。这以英国为代表。像剑桥、牛津等大学，在学生入学之初，教育重点不放在科学方面，而在于培养绅士态度。其他各种学校，也多有这种习惯。听说有位中国留学生出言偶失绅士体面，他的朋友即与之绝交。还听说，有位中国女官费生，因她的发型不合款式，曾受到校长责问。竟是这样的不自由。

三 宗教教育

各教会开设的学校，不用说都是以传布教会势力为主要宗旨。欧美各国政府，除法国外，都规定学校开设宗教课。学校中如偶有异教徒学生，则允许免修，另由所属异教教员讲授。

四 资本教育

欧美各国都规定义务教育年限，多不收学费，这是为了普及教育。这种制度仅限于初等教育。高等学校学费非常贵，若非富豪或上层阶级人士，不可能供其子弟受高等教育。于是，高等教育成为资本家所专有，教育偏重实利主义，结果把金钱作为人生的目的，拜金主义弥漫全国。这以美国为代表。

从各国教育的实际情况看来，城市教育往往优于乡村教育，男子教育往往比女子教育完备。一国之内含有不同民族时，往往为了同化其他民族，不准使用这些民族的语言进行教育。像俄国对于芬兰人，德国对于波兰人，日本对于朝鲜人，都是这样。这是最不平等的教育现象。

以上所举，都是战前情况，经过这次大战，教育界受到了莫大的教训。例如德国的军国主义，把全国人民当作机械，供野心家利用。开始

时,好像天下无敌似的,但由于失道寡助,逐渐招致失败,国内人民也逐渐认识到政府不良,起而谋求革命。今后德国恐不会推行军国民主义教育,似可断言。和会上关于限制军备、废除征兵制的提议,表明军国民教育已为今日所不容。

大战期间,英国需要既受过高等教育而又具有实际技能的人材,当时却深感不足。因此,英国教育大臣在1917年1月14日提出教育改革方案。1918年8月已在上、下院通过。主义是:一面办好下层人民的国民教育;一面又要使下层人民的子弟,能以进而受高等教育。这就是改绅士教育为平民教育的主义。

至于宗教教育,虽都讲平等博爱,但由于搞唯我独尊,反而排斥其他宗教习惯。历史上曾因此而发生过战争。青年头脑里所浸入的却是与平等博爱完全相反的东西。而且各教并列,所根据的越超经验以上,不能以学理论证其是非。应遵循信仰自由原则,待青年成年以后,听其自由选择为宜,不该把成人的信仰强加在青年身上。法国在1912年,即制定宗教不介入教育的法律,大战以后,瑞士教育家也有同样建议。今后必将普及到各国无疑。

资本家教育的流弊,一方面在于促成贫富不平等的阶级;另一方面在于加剧社会革命的对抗。那些未受过高等教育的平民,在自由竞争中由于受到资产状况的制约,就难免陷于劣败的处境。所以,要根本加以解决,必须普及高等教育。战前法国设有平民大学,但为数极少,且制度也不完备。战后各国鉴于俄德两国国内阶级战争,一定会加以注意的。

最近看到美国全国教育会所提出的教育改革基本计划,极力主张地方教育必须与城市教育并重。友人陶孟和考察日本教育归来,谈到近年的趋势是注重科学教育,并提倡女子教育。另外,奉行民族自决主义的波兰人、捷克斯洛伐克人,也都设立自主教育机构,异民族同化主义的教育,必将逐渐减杀。这是教育平等的好现象。

但是,平等只是打破阶级,决不是消灭个性。在实行阶级教育制度的时候,教育主要是一个阶级内部的事,从来不是绝对平等的。美国教育界曾列举德国教育的劣点,如平民学校中专设的各种礼仪制度,就是用来限制平民,养成服从心和信仰心。把这作为规范来束缚平民的生活和工作,使他们成为一种物质机械,便是军国民教育弊害的一个例证。阶级制度一旦被打破，个人就从束缚中得到解放，而完全任其自由发展。世界是一个有机体，具有特长的人，不应当强迫他屈降为一般。世界有进化的原则，对于赋有天才的人，更应当充分利用他来充当先导。今后的教育，必须改学年制为选科制。美国普通学校的大组织与二重学年制，接近于选科制，应该采用。

我国过去的教育制度，很多模仿德、日两国。所以晚清要求"尚武"，现在军阀派的学校，仍然奉行。学校中如有教会人士担任教师，他们往往引导学生，皈依宗教，守旧学者则想把孔教当作国教，并规定在学校教科中。至于义务教育，现在连初等教育尚未普及，更谈不到高等教育。说到女子教育，高等学校既不允许男女同校，又不专设女校。与战前各国教育相较，我国还远远不如。难道我们没有从这次大战中获得教训吗？中国人应该积极借鉴各国教育界的改革，努力奋勉。

中国教育的发展

（一九二四年四月十日）

要研究中国教育的发展，首先，有必要对早期的历史作些回顾。早在远古时代，中国的圣哲贤君就非常关心教育问题。他们在治理国家、造福人群的过程中，由于碰到了种种困难，才逐步认识到要使国家达到大治，必须把注意力移向有利于国家前途的教育问题上。

教育问题是舜迫切关心的一个问题。据史家记载，他是有史以来第一个任命一位"司徒"、在最基本的人与人之间的关系方面进行教育的圣人。在教会人们耕作收获、教会他们种植五谷以后，舜命令契教导人们"父子有亲，君臣有义，夫妇有别，长幼有序，朋友有信"。这是孟子在舜死后两千年记录下来的。虽然这句话的根据无可稽考，但是这一史料，仍具有重要的价值，因为它是古典文献中关于我国远古时代教育的最早论述。我们从《书经》中还可以获知另一个史实，它可以使我们进一步了解古代教育的发展。据《尧典》记载，舜说："夔，命汝典乐教胄子，直而温，宽而栗，刚而无虐，简而无傲。"显而易见，他认为"乐"在调谐年青人的感情方面是颇有益处的，它是一种陶冶性情的训练。这看来是一种必然的发展。其时间远在公元前二十三世纪。当时，教育的主要课题，一方面是强调道德义务，另一方面是培养人们种种善良正直的习性。这就是：为作一个良好的人而进行道德教育，为作一个有德性的人而进行社会教育。这两种思想互相融汇，目的在于建立一种和谐的社会关系。我国古代教育家为此而孜孜努力，实际上也实现了这一目标。

往后（公元前十二世纪），产生了更多的学科。一系列学说开始付诸实施，它包括为贵族阶级规定三德、三行、六艺、六经和尊卑次序；为平民规定六德、六行及六艺。我国古代教育家的教育方法,在某些方面同中国现代从西方各国引进的那些方法极为相似。具体地说,古时人们所谓的道德教育实际上就是现代学校课程中的伦理学,而六艺(即礼、乐、射、御、书、数)中的射、御,相当于我们现在的体育。与道德教育和体育有密切联系的是算术。这就形成了我们今天所称的抽象思维的训练和智力的训练。礼仪的教学于今被认为是一种介乎道德教育与智力训练范围之间的科目。以我们现代的观点来衡量,或从这种教育本身对人的身心和谐予以全力关注这一点来衡量,这个时期(从公元前二十三世纪到孟子的时代),可以认为是一个在教育上取得显著成就的时期。其中,更重大的发展,乃是陈旧的教育机构的衰亡,代之而兴起的,是更大规模的叫作"成均"的大型学院机构。我们对此应该给予充分的评价,它的意义在于创立了现代由国家资助的高等教育机构的雏型。

大约在公元前六世纪左右,我国一些相当于古希腊学院的私学,成为教育界突出的、有影响的组成部分。在这个时期的诸子百家中,开始出现两大显学,这两派的形成是具有重大意义的事情,他们对于各种问题各自作出不同的解释。一方面是孔子以四科,即德行、言语、政事、文学,教导中国;而另一方面则是墨子在策略方面教导中国,他传授一种具有逻辑性的、形象化的辩证的工作方法。虽然如此,墨子对于政治与道德教育的强调仍不亚于孔子。最奇怪的是,在墨子的学说中,还涉及到光学和力学,而这些同现代科学竟息息相关。在墨子的著作中,确实提到过物理学与化学,可惜这个天才遭受的是孤军奋战的命运。如果墨子对于科学的伟大思想,不是由于缺乏他同时代的人的支持而停滞不前的话,那么,中国的面貌可能是迥然不同了。

上面所提到的障碍,无疑是由于被混杂着巫术的儒学占了优势地位。巫术者在与墨子学说的斗争中,代表了儒家的传统教义。他们认为万物有灵,对一切社会现象和自然现象,采取神秘的解释,把它们归结为阴、阳两种形式的变化,认为一切事物由五行(即水、木、金、火、土)组成。他们由于受到所掌握的材料的局限,因而在认识上受到严重的限制。而且,更不幸的是,神学化了的儒学,当时无论在官学或在私学中,都占了上风。

公元一世纪时,由于印度哲学开始传入我国,因而在教育方面出现了

显著的、极为重要的哲学变化。印度哲学发现自身与老、庄学说相吻合，因此，出现了这三者合流的发展趋势。甚至儒家的学者们，也把他们的道德行为观念和政治观念退到次要的地位，从而兴起了玄学。在公元五世纪，建立了宣传玄学的机构。到公元八世纪，儒学又一次在教育界占支配地位，特别是"四科"再次成为教学原则的具体内容。于是，由印度哲学引起的、历时几百年的扩大知识领域的状况渐渐衰落。从那时起直到十九世纪，学校只采用儒家经典作为教科书，附加一些论述玄学的著作。整整四千年的中国教育，除了有过科学的萌芽以及玄学曾成功地站住过脚以外，可以说，在实际上丝毫没有受到任何外来的影响，它仅仅发生了由简单到复杂的变化。

以上主要是谈了一些古代中国教育的发展，仅限于东方思想范围。我们还必须把我国的教育发展同英国的教育发展作一比较。它们都有令人称道的合理地安排体育与智育的共同思想，都有使学习系统化的共同意向。在礼仪教育方面，我们发现两国的教育，对所谓"礼貌"，都同样采取鼓励的态度。在我国的射、御与英国的竞技精神之间，我们也能发现某些共同点。无论是中国的教育，还是英国的教育，目的都在于塑造人的个性及品质。在这方面，双方对于什么是教育的认识是非常接近的。性格与学业，就孔子的解释而言，应达到和谐一致，而这一点与英国教育所主张的并无差异。

儒家提出"君子"作为教育的理想，要求每一个受教育者都要达到这个目标。这与英国的"绅士"教育完全相同。我们阅读儒家经典，经常见到"君子"这个词。对于这个词，如同英语中"绅士"一词一样，我们发现同样难于领会这个词所体现的丰富而深刻的涵义。为了对"君子"一词的涵义有所了解，现在就让我们随意听听儒家的一些代表人物及孔子本人的言论。孔子的门徒之一、哲学家曾参曾对孟敬子说："君子所贵乎道者三：动容貌，斯远暴慢矣；正颜色，斯近信矣；出辞气，斯远鄙倍矣。"其他一些人认为君子应该"正其衣冠，尊其瞻视。"随后，他就能矜而不骄，严而不暴。这是中国关于君子仪态的言论，同样也是英国教育家强调宣传的观点。至于说到君子的性情气质，我们发现欣赏正直是一个基本的特点。君子"礼以行之，仁以出之，信以成之。"因此，"君子尊贤而容众，嘉善而矜不能。"至于君子本身，我们发现有这些特点："知者不惑，仁者不忧，勇者不惧。"怎样才能成为君子呢？"文质彬彬，然后君子。"至于说到道德力量，中国教育家鼓励那些人，"可以托六尺之孤，可以寄百里之命，临大节而不可夺也。"成为君子。"君子和而不同，""人之生也直。"这是君子的力量与信心。上述这些是实现君子行为的正面例子。反之，对于"乡愿"或"贵胄"则予以强烈的警告与斥责，就如西方国家对伪君子的尖锐抨击一样。这种培养君子的教育，无疑同英国教育相同，在中国教育的发展史上具有同等重要的意义。

以上是英国与中国教育观念的相同之处。下面我们再看看它们的不同点，我们发现有两点不同之处。产生不同点的最显著原因在于下面的事实：一个英国人，当他还在襁褓之中、以及在他后来的成长过程中，就受到某种宗教观念的哺育，逐步形成了他的信仰，而这种信仰是他日后生活的指南。而在中国，除了在极其例外的情况下，父母一般不干涉他们子女接受某种宗教，因此他们的子女有权维护自己的信仰自由。但是社会舆论还是表达了对宗教的赞助。第二，我们看到了英国科学教学设备的优异，也看到了我国这方面的短缺。前一点在现时关系不大。关于后一点，我们应当表示这种愿望：我们的教育应该前进，应该使科学教育得到更大的发展。在英国，不仅大学的实验室有很好的设备，而且在科研团体中，也都有良好的设备。英国有四个直属于教育部的国立博物馆，这些博物馆收藏有各种珍品及独特的标本。因而，在英国有这样一种科学气氛，虽则科学家们必须担负开拓科学领域的重任，但他们的工作受到公众的赞赏与分担，因为公众已认识到科学的重要性及其深远的意义。哲学家、思想家及作家们也同样承认他们对科学应尽的职责，因而不必去冒险凭空建立他们的学说。而中国在这方面却没有什么可与相比。在你们南肯辛顿的科学博物馆及自然历史博物馆中，既有理想设计的蓝图，也有具体成就的实例。人们可以看到这一切一直在对教育施加着很大的影响。但是，在中国，我们的教育至少两千年来没有面向更高的科学教育，而却是用完美的品质去塑造人，赋予他一种文学素养而已。

尽管从公元十三世纪以来，我们在与西方接触的过程中，学到了一些自然科学知识（不包括它的消极因素），但是，在好几个世纪以后，才随着基督教的传入而带来了亚里士多德的逻辑知识，欧氏几何学以及其他应用科学知识。直到近半个世纪，中国才从事教育改革，而且还只限于自然

科学的教育改革。中国现在认识到,只有新兴的一代能受到新型的教育,古老的文明才能获得新生。中国教育改革的第一步要达到的,是建立大学与专科学校,这一点已经实现了。一八六五年在上海建立了以科学技术为基础的江南制造局,这个局发展到今天,已占地广阔,规模宏大。接着是一八六七年仿照欧洲学院的形式建立了最早的机械学校。此后,在我们发展教育的早期努力中,技术科学的学校和学院,始终处于领先地位,其他性质的学校也随之纷纷建立。一八六七年建立了马尾船政学堂;一八七六年建立了电报学堂;一八八〇年建立了水师学堂;北洋大学(一八八九年),南洋公学(一八九七年),以及京师大学堂(一八九六年)等学校也相继建立。另一方面,我们派遣一批青年学生到英国、法国及德国留学,学习造船、工程及其他学科。作为西学东渐的传播者,他们的学习是卓有成效的。但是只有为数有限的、并经过遴选的学生,才能享受出国留学的权利,即使对他们来说,我们还是没有能够提供足够的学校,使他们在出国前作好充分的准备。上述这些学校,尽管它们本身很有价值,但还是无法解决这个问题。我们的困难就在于目前学校不足。比派遣留学生和建立学校更为重要的是,必需纠正某些不足之处。由于学校设施的缺乏,许多学生便进入教会学校。在那里,他们可以学到一门外语,并能学到应用科学和理论科学的基本知识。为此,我们对这些学校深致敬佩。然而,政府在打算以其他同等的或更高水平的学校来取代教会学校方面,并不甘心落后。教育工作者们在一些会议上,建议向国立学校提供设备,政府在采纳这些建议的基础上,于一九〇二年颁布了一项规章,自那时以来,教会学校的学生数额便逐渐下降。到一九一〇年,据统计,在十四所英、美教会学校中的学生只有一千多名,而仅在国立北京大学一所学校中,就有学生两千三百多名。当然,这主要由于新创建的中国国立学校向他们敞开了大门,但教会学校本身也存在着某些明显的缺点,例如,轻视中国的历史、文学和其他一些学科等等。众所周知,每当建立一所教会学校,就要宣传某种宗教教义,它造成了新的影响,产生了新的作用,从而与中国的教育传统相抵触。关于这方面,要说的话是很多的。总之,现在有迹象表明,沿着我们自己的教育发展方向的某种趋势正在逐步加强。

以上我概括地叙述了中国在自然科学研究方面的兴趣的发展,以及对理论科学教育和应用科学教育加以扩展的迫切需要，这是颇有意义的。近二三十年来，在我们全国的科学研究中，萌发了一种新的精神。现在，几乎每一所学校都拥有一些同欧洲从事科研工作的学校所拥有的相同的仪器设备，并且还拥有实验室，在每一所实验室，我们都可以看见师生们一起研究科学，诸如物理、化学、生物等等。特别是我们的大学，它们为科学教育的发展，为科学应用的发展尽了最大的力量，贡献出了最大的能力，并且在此过程中，表示出希望中国在不久的将来，通过科学的发现与工业的发展，对当代世界文化作出新的贡献。但是它们的努力迄今尚未成功。虽然我们无疑地认识到科学探索的价值，认识到它对中国的物质、文化进步来说，是最重要的因素之一，可是，科学精神对我们的影响究竟有多深，科学精神在现实中究竟有多少体现，这还是有问题的。坦率地说，这纯粹是由于我们没有对从事科研的人在设备的维修、应用和经费方面提供种种方便；是由于那些在国外受到科学技术教育的人回国后，很少有机会来继续他们的研究。因此，我国教育家计划仿照南肯辛顿的科学博物馆和自然历史博物馆的方式，创办一所大规模的研究院。该院将由两个部门组成；一个部门收藏科学仪器、设备、各种图表、模型和机械，用以展示物理、化学及其他自然科学的不同的发展阶段和阐述工艺的发展演变过程。另一部门将展出动物及所有其他自然历史的标本，说明它们之间的原始关系，展出微生物及各类动植物标本，逐渐导致到人类学。创办这样一所研究院所必需的经费，据估计为一千万英镑，地点设在南京或北京。但是，目前我们的教育工作者所面临的是，全国普遍感到财政资金短缺，在这种情况下，要中国实现这个计划，看来是有困难的。然而，我们深信其他大国将会采取同中国在科学事业上合作的方式，在某种程度上给予帮助。英国方面，将要退还庚子赔款，我们认为这是一种慷慨、善意的举动。早在一九二二年，英国政府就在口头上通知中国政府。自从那时以来，各国政府也对此日益关心。现在看来，为了纪念中英之间的友谊，应当把退还的庚子赔款用于一种永恒的形式，这是中国教育家经过深思熟虑的意见。它应该被用于创办这所大型的研究院。我们现在完全可以预期，这个研究院将不仅担负进行高等教育、鼓励科学发展的任务，而且还将成为资料与研究的中心。这是全体中国人民，特别是教育工作者们，在退还庚款问题上的普遍愿望。

　　在中国的教育发展中，可能还存在着其他的倾向，但是，最重要、最切望的乃是需要建立一所新的科学研究中心，这是需要特别加以强调的。上面概括的，只是我国教育改革的总的发展情况，而不是它的详细情况，尽管每个细节可能是令人感兴趣的，但这里不再详述了。

中国现代大学观念及教育趋向

（一九二五年四月三日）

在古代中国，文明之根一直没有停止过它的生长，尽管关于这方面的历史记载极少。进行高等教育的机构早在两千年前就出现了，那时称之为"太学"。随后，又从这一初步形式，逐步演变为一种称之为"国子监"的教育制度。它包括伦理教育、政治与文学教育。现在看来，这是必然的发展，并且随着这一发展而增设了包括写与算等更多的学科。但增设的这些科目，在钦定的学校课程中，是无足轻重的。数百年来，教育的目的只有一项，即对人们进行实践能力的训练，使他们能承担政府所急需的工作。总之，古代中国只有一种教育形式，因此，其质与量不能估计过高。

晚清时期，东方出现了急剧的变化。为了维护其社会生存，不得不对教育进行变革。当时摆在我们面前的问题，是要仿效欧洲的形式，建立自己的大学。当这些大学建立了起来并有了良好的管理以后，就成为一支具有我们自己传统教学方法的蓬蓬勃勃的令人称誉的力量。初时的大学，也曾设置了与西方大学的神学科相应的独立的经科。这些大学推行的总方针，还是为了要产生一个于政府有用、能尽忠职守的群体。

随着一九一一年民国的成立，它把政府的控制权移到了民众手中——在大学内部也体现了这种新的精神。最早奏效的改革，是废除经科，从而使大学具备了成立文、理、医、农、工、法、商等科的可能性。作为上述这项方针的结果，一批大学建立了起来，几乎所有这些大学都完全或基本上贯彻了政府关于教育方面的指示。迄今为止，在北京（首都）有国立北京大学，在天津有北洋大学，在太原有山西大学，在南京有国立东南大

学,在湖北有武昌大学,以及在首都还有其他一些大学,所有这些大学,皆直属中央政府,经费由中央政府拨给。最近,几所省立大学也相继宣告成立,其他一些则正在筹建之中。直隶的河北大学,沈阳的东北大学,陕西的西北大学,河南的郑州大学,广州的广东大学以及云南的东陆大学,都有了良好的开端。其他各省也都在积极筹建它们本省的大学。一些以办学有方而著称的私立大学,如天津的南开大学和厦门的厦门大学,也是值得一提的。至于那些已获得政府承认的学院,更是不计其数。尽管这些大学所设系、科各不相同,但都有同样的组织形式。它们的目标,不仅在于培养人们的实际工作能力,还在于培养人们在各种知识领域中作进一步深入研究的能力。

下面请允许我以一所具体的大学,即我非常熟悉的国立北京大学的一些情况来对我所谈的加以印证。

众所周知,这所大学由于她的起源及独特的历史而具备较完善的组织系统。根据目前的发展趋势和方向,我们很自然地能预见到未来的进展。但是,这种发展趋势和方向的主要特点究竟是什么呢?对些我想说明如下:也许说明整个问题的最简捷的方法,是回顾一下近几年的改革过程,这些改革对北大的发展是有重大意义的。在一九一二年,曾制定了一项扩充北大所有学科的系科计划,但后来鉴于某些系科,例如医科和农科等,宜于归并到其他一些对此已具有良好设备条件的大学中去,因而放弃了这一计划。在考虑了这些情况以后,北大确认对它最必要的,是设置文、理、工、法等科。就这样,北大以这四科发展到一九一六年,成为教育界有影响的组成部分。接着,为了有利于北洋大学和北京工业专门学校,北大又把工科划了出去,以便与上述两校取得协作。随后,不但在国立北京大学,而且在全国范围都发生了一个巨大的变化,那就是:有着众多系科的旧式"大学"(名副其实的"大"学)体制逐渐衰亡,单科(或少数几科)的大学在更具体的规模上兴起。这个变化的最终结果,现在尚无法预测,但就目前而言,其效果是创立了易受中央和地方政府资助的特殊的大学教育形式。由于这个变化,高等教育机构则可能由几个或仅仅一个系(这里所说的"系"与美国大学的"学院"一词同义)组成。

一九二〇年,北大按旧体制建立的文、理、法科被重新改组为以下五个部:

第一部　数学系，物理系，天文系。
第二部　化学系，地质系，生物系。
第三部　心理系，哲学系，教育系。
第四部　中国语言文学系，英国语言文学系，法国语言文学系，德国语言文学系以及行将设置的其他国家的语言文学系。
第五部　经济系，政治系，法律系，史地系。

其他正在考虑开设的系，将按其性质分别归入以上五个部。

当时之所以有这样的改变，其着眼点乃是现行大学制度急需重新厘订，以便适应国家新的需要。此外，还有如下几点原因：

1. 从理论上讲，某些学科很难按文、理的名称加以明确的划分。要精确地限定任何一门学科的范围，不是一件轻而易举的事。例如，地理就与许多学科有关，可以属于几个系：当它涉及地质矿物学时，可归入理科；当它涉及政治地理学时，又可归入法科。再如生物学，当它涉及化石、动植物的形态结构以及人类的心理状态时，可归入理科；而当我们从神学家的观点来探讨进化论时，则又可把它归入文科。至于对那些研究活动中的事物的科学进行知识范围的划分尤为困难。例如，心理学向来被认为是哲学的一个分支，但是，自从科学家通过实验研究，用自然科学的语言表达了人类心理状况以后，他们又认为心理学应属于理科。摆在我们面前的，还有自然哲学（即物理学）这个专门名词，它可以归入理科；而又由于它的玄学理论，可以归入文科。根据这些情况，我们决定不用"科"这个名称，尽管它在中国曾得到广泛的承认，但我们却对这个名称不满意。

2. 就学生方面来说，如果进入一所各科只开设与其他学科完全分开的、只有本科专业课程的大学，那对他的教育将是不利的。因为这样一来，理科学生势必放弃对哲学与文学的爱好，使他们失去了在这方面的造诣机会。结果他的教育将受到机械论的支配。他最终会产生一种错误的认识，认为客观上的社会存在形式是一回事，而主观上的社会存在形式完全是另一回事，两者截然无关。这将导致自私自利的社会或机械社会的发展。而在另一方面，文科学生因为想回避复杂的事物，就变得讨厌学习物理、化学、生物等科学。这样，他们还没有掌握住哲学的一般概念，就失去了基础，抓不住周围事物的本质，只剩下玄而又玄的观念。因此，我们决心打破存在于从事不同知识领域

学习的学生之间的障碍。

3. 现在，我们再看看北大的行政组织。当时的组织系统尽管没有什么人对之有异议，但却存在着很大的问题。内部的不协调，主要在于三个科，每一科有一名学长，唯有他有权管理本科教务，并且只对校长负责。这种组织形式形同专制政府；随着民主精神的高涨，它必然要被改革掉。这一改革，首先是织组了一个由各个教授、讲师联合会组成的更大规模的教授会，由它负责管理各系。同时，从各科中各自选出本系的主任；再从这些主任中选出一名负责所有各系工作的教务长。再由教务长召集各系主任一同合作进行教学管理。至于北大的行政事务，校长有权指定某些教师组成诸如图书委员会、仪器委员会、财政委员会和总务委员会等。每个委员会选出一人任主席，同时，跟教授、讲师组成教授会的方法相同，这些主席组成他们的行政会。该会的执行主席则由校长遴选。他们就这样组成了一个双重的行政管理体制，一方面是教授会，另方面是行政会。但是，这种组织形式还是不够完善，因为缺少立法机构。因此又召集所有从事教学的人员选出代表，组成评议会。这就是为许多人称道的北京大学"教授治校"制。

如上所说，北大的进步尽管缓慢，但是从晚清至今，这种进步已经是不可逆转的了。这些穷年累月才完成的早期改革，同大学教育的目的与观念有极大的关系。大学教育的目的与观念是明确的，就是要使索然寡味的学习趣味化，激起人们的求知欲望。我们决不把北大仅仅看成是这样一个场所——对学生进行有效的训练，训练他们日后成为工作称职的人。无疑，北大每年是有不少毕业生要从事各项工作的，但是，也还有一些研究生在极其认真地从事高深的研究工作，而且，他们的研究总是及时地受到前辈的鼓励与认可。这里，请允许我说明，北大最近设置了研究生奖学金和其他设施。我们中国自古以来就以宣扬和实践"朴素的生活，高尚的思想"而著称。因此，按照当代学者的看法，这所大学还负有培育及维护一种高标准的个人品德的责任，而这种品德对于作一个好学生以及今后作一个好国民来说，是不可缺少的。

为了对上面所提到的高深研究工作加以鼓励，北大还采取了以下一些措施：

（甲）强调教授及讲师不仅仅是授课，还要不放过一切有利于自己研究的机会，使自己的知识不断更新，保持活力。

（乙）在每一个系，开始了由师生合作进行科学方面及其他方面的研究。

（丙）研究者进行学术讨论有绝对自由，丝毫不受政治、宗教、历史纠纷或传统观念的干扰。即使产生了对立的观点，也应作出正确的判断和合理的说明，避免混战。

为了培养性格、品德，还采取了如下一些措施：

（甲）制定体育教育计划：（1）每年进行各种运动技能比赛。与外界举行比赛和其他的室外比赛，吸引了所有的北大师生，其水准可与西方相比。足球、网球、赛马、游泳、划船等活动同样令人喜爱。（2）可志愿参加某些军训项目，特别是童子军运动正在兴起。

（乙）为培养学生对美术与自然美的鉴赏能力，成立了雕塑研究会和音乐研究会。

（丙）学生们利用课余时间在学校附近的文盲及劳工社会服务，深受公众的赞赏。其中最突出的是在乡村地区开展平民讲习运动和对普通市民开办平民夜校。学生们通过这些活动，极大地促进了自己的身心发展。

当中国的青年一代在思想上接受了新的因素之后，他们对政府与社会问题的态度就变得纷繁复杂了。他们热情奔放地参加一切政治活动，这已在全国各地不同程度地表现出来。这种学生运动虽然是当代所特有的（如巴黎与哈瓦那所报道的那样），但在中国的汉代及明代历史上已早有先例。它只是在近几年中采取了更为激烈的反抗形式而已。学校当局的看法是，如果学生的行为不超出公民身份的范围，如果学生的行为怀有良好的爱国主义信念，那么，学生是无可指责的。学校当局对此应正确判断，不应干预学生运动，也不应把干预学生运动看成是自己对学生的责任。现代的教育已确实把我们的学生从统治者的束缚中解放了出来。总的来说，这场活跃的运动已经在我们年青一代的思想中灌注了思想、兴趣和为社会服务的真诚愿望，从而赋予他们以创造力和组织力，增强了领导能力，促进了友谊。但是，这也可能使学生本身受害，危及他们已取得的进步。学校当局正是基于这点才以极大的同情与慈爱而保护他们。

上述的概括，可能已足以说明中国大学教育的总的趋向，这是从我

在北大任职期间的个人经历中总结出来的。至于中国教育的发展,特别是目前教育的发展,可能还存在其他倾向;即使在北大,这些带有倾向性的改革,不论其是否起了作用,我们认为它还是很不完善的。更确切地说,我们的改革与实验,使我们确信我们的大学目标与观念仍然是很不成熟的。

中国教育的历史与现状
——在世界教育会联合会第二次大会上的演说词

（一九二五年七月二十五日）

今天下午，我荣幸地承大会邀请，要我就我和我的同事所代表的国家的教育问题作一次演讲。我国是这个世界联合会的创始和热情支持的国家之一。这是一次来自全球各地教育界著名代表的会议，会议将讨论大家共同关心的问题。在前几次会议中，经过紧张频繁的小组讨论之后，我并没有想到各位要向我了解些什么。虽然我是东方教育界负较高责任的人，但我以为各位最好还是听取专家们讲一些大家共同关心的问题。我今天要讲的，说不上是什么专门演讲，而只不过是以报告的形式向各位谈谈我对中国教育的过去与现状的一点看法而已。

早期的个别教学制

直到不久以前，中国只重视一种个别教学形式，即与现代教育家们称之为单一个别教学相类似的一种教学形式。其不同之处，只在于这些学校在京城由国家主办，在其他地区则由各省和乡村主办而已。

进行这种个别教学的高等学校，早在两千年前就出现了，当时称之为"太学"。以后在此基础上又演变为"国子监"的一种教育体制。在"国子监"讲授的是伦理、政治和文学。在这种学院中，如同其他学校一样，班级由教师管理，而学生则接受单独的授课。这种教育形式，看来正是孔子、墨子时代那种单纯由私人讲学的形式的必然发展。孔墨时代的这种与古希腊学院相当的私人讲学形式，在当时教育界中是颇为突出的、有影响的组成部分。即使在最近的二百年中，这类学校仍可以说是具有一种深远的教育意义。我们在源于早期学院而来的王阳明书院（大学）中，在源于古代教育发展而来的清朝的颜元（习斋）书院中，可以发现其显著的影响。尽管这些制度已经过时，但是我认为它们的历史对当前许多尚未解决的问题仍有所启示。

古代教育的优点

这些古代教育制度的优点，可以简单概括如下：
（1）注重道德伦理的教育和个人修养。
（2）提倡在任何环境与条件下，可以由个人自由钻研学问。
（3）可以因材施教，教学不致因班级中有落后学生而受到影响。

缺点方面

除有上述优点外，还存在着一些缺点，以下几点特别需要提一提：
（1）我国古代学校的课程，过分重视人文学科，特别是文学、考据学等。我国早期的教育制度实际上只重视个人修养的尽善尽美，重视培养个人的文学才能，而不注重于科学方面的教育。
（2）我国古代的教育目标，主要是使少数人毕生攻读，使他们能顺利通过朝廷举办的各种考试，而考试则是读书人入仕的唯一途径。至于就平民文化而言，它并没有普及教育的明确目标。

最近的变化

清朝末年，即距今约二十五年间，东方发生了迅速的变化，教育为维持其社会生存也不得不作出相应的改革。当时我们面临的问题是：仿照欧洲的方法创办学校，从最基本的幼儿园到大学。

先谈国立学校。我国的国立学校起初都是书院式的。后来逐步转变，先采用日本的教育体制，继而采用德国和法国的，现在则采用英美制。国立学校经过适当的整顿以后，已成为知识界中一种既保持了传统的教育方法而又具有生命力与吸引力的力量。各种学校都开有各种课程，并颁布了以鼓励学生学习为目的的新的升留级和毕业考试制度。

一九二一年，在我负责教育部期间，经过多次教育会议，推行了义务教育。与儿童入学人数增长的同时，我们还设法使那些超龄学生以及从未上过学的人获得学习机会，尽管起初的速度是缓慢的。在各种学校推行的总方针，不单单是培养人们的实践能力，而且还培养人们对知识技能进行高深研究的能力。这样，人们便有一种希望，而且会不断进步。

革新急需的教育

自本联合会在美国旧金山开会以来，我国进行了一系列的教育改革。

我国已清楚地意识到只有按新的教育制度对年轻的一代进行教育，我国古代文明的发扬光大才可能成为现实。

下面我要谈一下近两年来我国在这方面的活动和取得的进展，这是值得各位注意的。

科学教育的发展

（1）首先，我想指出的是重视科学教育。这是近年中国教育的一个显著特点。一九二二年，美国的孟禄博士来华访问，他的考察结果和我们许多人对我国科学教育中存在缺点的看法是一致的。

经孟禄博士的推荐，应中华教育改进社的邀请，美国辛辛那提大学的推士博士来到中国，协助改进我国数学、物理、化学等科的教学方法。第一期培训理科教师的暑期进修班于一九二四年在北京清华大学开办，目前在南京东南大学举办的是第二期。在西方理工科教学中发挥了巨大作用的各种科学仪器、设备与模型，现在也已由上海商务印书馆进行了大量的改进并使之标准化。

教会学校的发展

（2）我要讲的第二点，是对我们有影响的教会教育。据最近统计，在浸礼会所办学校中入学的学生总数，目前已接近三十万。受到天主教教会

学校培养的学生人数,约有二十万五千余人。现在有迹象表明,在这类学校中的学生人数有明显增长的趋势。

可是我们看到,一有教会学校开办,就要宣扬某种宗教教义,就产生新的效果,造成新的影响,从而与我国传统教育相抵触。中国的教会忽视了中国的历史、文学及其他重要的学科,正自行建立另一套与中国国家教育制度相并行的教育制度。不过总有一天会证明,这种教育制度是为中国的国家教育制度所不能相容的。

宗教教育的危害性

此外,虽无明文规定,但中国的教育家们几乎一致反对对青少年进行宗教教育。孩子们天性十分单纯,很容易受到成年人的影响和塑造。同时我们的孩子们的生活环境和传统习惯是非宗教性的,如果我们尊重他们的权利,我们就应该采用这样一种方法来教育他们,即给他们以养成独立思考能力所必需的知识与智力。

民众教育运动

(3)我要讲的第三点,是我国的民众教育运动。一九二三年,中华教育改进社的年会在清华大学召开,会议计划成立一个开展扫盲运动的全国性组织。运动立即得到了全国各地的支持与合作。这个运动的宗旨之一,就是要在其教与学中采用白话。如今不仅主要的杂志、报纸和小说,而且连主要的艺术、哲学和社会科学的著作都是用白话文出版的。

两百万学生

因而仅两年间,在普及班上课的学生人数已达约二百万人。不需很久,我们就能在中国看到一个一方面是实行义务教育,另一方面是对文盲课以税款的完善的教育制度。但是,运动的倡导者们也并不因此存在这样的幻想——企图在我们这一代人中就消灭整整两亿文盲。

图书馆在发展

(4)现在让我们来看看中国图书馆事业发展的情况。在我国周朝时就有图书馆了,不过学校里的图书馆只是近来才有的。到今年,拥有较好的现代化设备的大学图书馆已达十二个。在我国代表前来欧洲参加这次大会时,我国正在成立一个全国性的图书馆协会。这个协会的宗旨是为了建立更多的图书馆,为了探求管理图书馆的更好方法并吸引更多的一般读者和高级读者来利用图书馆。我国的图书馆正不失时机地积极工作,以期获得更大的成就。还有一些图书馆正争取获得美国的援助,希望能从对美庚子赔款中得到拨款,来建立更多的公共图书馆。

学生问题

现在请大家允许我谈一下中国的学潮问题,不过我并不是想在这里引起争论。中国的学潮是与中华民族争取自由的运动紧密相连的,而自由问题则是当前的一个具有广泛性迫切性的世界问题。

我们都在这里讨论如何通过学校教育促进国际和平,可是在会外有谁响应我们呢?根据中国的现状,我认为我们应该开始制订计划以促进国际友好,在国与国之间加强相互了解和谋求公平的待遇。

深刻的变化在发展

在中国,至少也有四至五亿人民,由于受现代教育的影响,由于受到正义、人道主义崇高信念的鼓舞,在他们中间不断激起思想变革。女士们,先生们!虽然在二十世纪中还不能看到这个运动的全部结果,但它的发展,必将深刻地改变欧洲和美洲一般对中国所持有的政治见解。

谈到学生,我的声明也曾谈到现代教育的确把我们的学生从权威的束缚下解放出来。由于这个新运动对中国青年一代产生的影响,现在他们对一切政治问题的看法已变得复杂多样了。

中国古代就有学生运动

虽然目前的学生运动有其当前的时代特征,(如同来自巴黎、哈瓦那和别的地方的报告所表明的那样。)但中国远在汉朝、明朝就有学生运动了。从教育家的观点来看,如果学生以一个公民的身份,抱着真诚的信念与对爱国主义的正确理解进行活动的话,就不能说他们全都是错误的。

培养了理想

除了这些以外,由于这个生气勃勃的运动把为社会服务的理想、兴趣和希望灌输到青年们的心中,从而培养了他们的组织和管理才能,锻炼出领导能力并树立了集体观念,这场运动使学生获得了无可估计的效果。

灵活公正地管理学生

但是,运动的发展,也同样有可能使学生本身及他们已获得的进步受到损害,这是一个既复杂又冒险的问题。为此我们的教育工作者应满腔热忱地去关心、爱护学生。公正地对待每个学生的同时,努力探索一些灵活的管理办法,旨在使他们能冷静地思考问题,从而获得更大的进步。

我深信各位在座的教育家,一定会以一种不偏不倚的态度来认识到促进世界和平事业的生命力与价值,并以一种宽宏与公正的精神,为这项国际性事业找到更好的措施。的确,通过学校教育工作来促进世界和平,是教育的一个十分重要的问题,再没有任何问题会有这样艰巨、这样重要了。

据蔡元培《中国教育的历史与现状》(Chinese Education, its Present and its Historical Condition),北京先驱出版社 1925 年所印英文专刊译出(徐正文译,陈光鼎校)

附：同题异文

中国教育，其历史与现状

今天我以中国代表的资格，而且在这个世界联合会中中国代表等，又是发起人的资格，在这个会中来说话，真是很荣幸的事。本会的会员，都是从世界各处来的。本会所已经讨论的问题，也都是关于世界各处共通的问题。我虽然身任中国教育界重要的职员，但是我个人对于本会，此次却并没有特别的意见发表。而且我的话也不像教育专家对于世界共通问题的讨论那样重要，所以我并未特别提出讨论的问题。不过据我个人对于中国教育的历史和现况等情形，有点观察，请向诸君一述：

中国教育，几乎自古至今处于一种状况之下，此种状况，若以现代的名称来说，即与"个人训育"相同，不过训育的地方为国都的国立教育机关，和各省各乡的官立教育机关。这种教育制度，包括高等教育在内，在两千年以前，即已经存在，是为太学，这就是"国子监"的制度的胚胎。"国子监"的教育，重在道德的涵养，也兼重政治和文学。在这种的教育机关以内的学生，都是分班授课。各班全由教习主持，学生与教习的关系犹如在私塾中一样。到了孟子时代，这种私家教授的制度，愈见发达，其性质颇与希腊时代的学院相类。这种类似学院的制度，在最近两世纪以内，尤为重要。再就历史上考察起来，王阳明最有名，而影响最久最大。他这种学院制的教学，与后来清朝颜元（习斋）的书院，都是由古代的学院制度蜕化出来的。这种学制，在现在虽已成了历史上的事实，但是它对于现代教育上待解决的许多大问题，颇有影响。

这种学制的好处，总括起来讲，可分为下列数项：（一）注重道德的训练为人格的养成；（二）激发个性，并使之遍观博览，纯任自由；（三）就个人的资质，而施一种特殊的得当的教诲，不致如分班教授，使天资愚钝的人感受困难。这种制度的自身，也还有几种特点，也值得一述，就是：（一）在我们古代学校中的课程，对于智识的启发方面大有考究，尤其对于文学和古典学等科，不过其侧重之点，在人格的修业与文学智识的养成，而不注重于科学方面教授。（二）我们这种古代教育的目的，在使学者终身讲习，预备去通过各种的官家考试，因为这种考试，便是学者将

来服务于政治方面唯一的途径。这种教育与普通公民教育注重一般的智识的不同。

在满清末年时代，即为最近的二十五年以内，东方的教育，可算是经遇一个大改变。教育的方面，在此改变之后，才注重于生活的各方面。现在我们的重要问题，便是仿照欧洲的教育制度，发展学校教育，建设各种学校，自幼稚园以至专门大学。在最初，官立学校，仍然是一种书院制的变形，其后渐渐变为日本革新后之形式，而变而为德法式，至今又变为英美式，并且有一种启发智识的驱迫力。但是仍然不与我们古代的智识教育相妨。学校的课程繁多，试验的新制度，不过是升级降级及毕业而已。

至一九二〔一〕一〔二〕年，经过几次教育讨论会以后，政府始下强迫教育的通令。那时正是我任教育总长的时代，在小学教育的发展的经过中，我们看见许多失学或过学龄的儿童，渐渐有受教育的机会了。这种学校教育的宗旨，不过是使学者有适应生活的能力，同时又可以使他们自进于高深学术的研究。因此便有一种希望，而且不断的进步。

自从本会在美洲旧金山开会以来，中国的教育又经过几许的发展。现在已认识清楚的事情，就是非用新式的教育，不能复兴我们古代的文明。最近两年来教育界的活力与进步，有几件事值得考虑。

（1）第一件重要的事，就是注重科学教育，这要算是中国新教育最可注意的地方。在一九二二年的时候，美国教育家孟禄博士到中国，曾指出中国教育的缺点，就是科学教育不发达。因为孟禄博士的讨论，中华教育改进社为提倡及改进教育起见，特聘美国俄亥俄大学的推士博士，请其指陈应如何发展科学教育，如数学及理化等，于是北京清华学校，特于一九二四年特为教授科学的教习们，开办一暑期学校。现在现〔又〕在南京的国立东南大学举行第二次的暑期学校，上海商务〈印〉书馆又特别出售各种最新的科学用具，使各校易于置备。

（2）第二件可注意的，便是我国的教会学校。据最近的调查，知道全国新教的教会学校的学生约三十万人，在罗马教会学校的学生约二十万零五千人，就大概的情形看来，在教会学校学生的人数，还有逐渐增加的趋势。但是凡有教会学校的地方，总有一种宣传宗教的势力，颇与教育的宗旨相背驰。并且他们忽视中国历史、文学等科，而另用一种教育的方式，颇与中国政府所定的教育制度相违背，因此他们便成了中国教育发展的妨碍者。

并且中国教育家所崇信的，多半与教会教育立于反对方面。幼年学子，如素丝白纸，近朱者赤，近墨者黑，全视教育的人为转移。中国的儿童，本生于一种无宗教的环境中，如果我们果真尊重他们的自由发展，我们不应该使他束缚。

（3）第三件为公民教育运动：一九二三年，中华教育改进社，在北京清华学校开常年会，议决组织公共机关，发展社会教育，使不识字和无知识的人有受教育的机会，于是全国皆一致赞成。第一件要紧事，就是白话文的普遍方法及其教与学的方法。不论杂志、报章、小说等，皆用白话，即一切优美的文学作品，及哲学、社会科学等，亦用白话文作成。

因此在最近两年，中国新入这种公共学校的学生，竟增加了两百万之多。由此可知强迫教育，在中国不久即当普遍，而且不识字的人的罚款，也可以连带作到。我们可以相信，这种公民教育运动，可以在短的时间内，可以使二百万不识字的人识字，实在不是欺人之谈。

（4）第四件要算图书馆的运动了。中国自周朝以来，就有图书馆的存在。但是学校图书馆的存在，却是现在才有。据现在的调查，可以知道有十二个专门学校的图书馆已成立，在我们离开中国时，国内又新有一个全国图书馆协会的发生。其目的在促进新图书馆的成立。并且研究用较好的方法，去引起许多人利用图书馆，使看书的人日渐加多，并且也很注意美国庚子赔款退还的一部分内，即规定有建设新式图书馆的支配法。

现在我要想说几句关于中国最近学生运动，这可以说是中国人争回自由的运动。并且这个问题成了世界一个很重大的问题。我们在这会中，声言由学校可以促进世界国际的和平。但是除了这个会以外，究竟谁能负这个责任呢？我的意思以为最要紧应该想出国际间亲善及互相了解的法子，以现在中国近事而论，也要有国际间公平的待遇。

现在中国曾经受了新教育的熏陶，和正义人道的福音的人，至少有四五百万。诸公知道这二十世纪的短时间内，是看不出他的结果的。但是这种运动，是很可以使欧美各国的政治思想，受很深的改变的。至于说到学生方面，现在的新教育，确已经把他们从奴隶束缚的威权中解放出来，这些怀抱得有新思想愿舍身于新运动的青年，对于各种政治问题的态度，是有改变的力量的。

　　况且这种学生运动，虽说是属于现代的特产物，其实，在中国历史里，汉、明两朝都有先例，就教育家的观察点而论，如果学生运动，纯是一种真诚的爱国心的表现，以行使他们公民的本分，那就是毫无错处的。

　　并且另一方面，这种运动，可以使他们得着许多最可宝贵的经验与成效，使一种社会服务的兴趣与志愿，深入于他们心中，又可培养引导成一种合作的才能。

　　但是这种运动，又每每使他们的自身和已有的新进步，陷于危险状况之内。这个事情，真是很复杂很冒险的。因此之故，我们国内教育家都用一种同情心及慈善心，爱护他们，并且寻出一种妥善的引导方法，指示他们以正大的鹄的，使他们由此可以得到众心而不任性的研究。其结果可以得到较伟大较自然的成绩。

　　因此我们不能不属望于在座的各大教育家，平心静气的去认识那有促进世界和平的价值的运动，并且开诚布公的寻出国际相与的正道。故知由学校方面着手，以促进世界和平，真正要算是教育上的根本问题。并且再没有其他的问题有这样同等的重要而且艰难了。

十五年来我国大学教育之进步

（一九二六年十月十日）

每年国庆日，必有许多悲观的论说，说是民国成立以来，军阀这样专横，政客这样腐败，因而使人民这样困苦，毫无真正民国的气象，国庆日不是可庆而是可吊的。我也何尝没有这种感想。然而，国民的责任，一方面固然要握有政治实权，整理全国；一方面又要从社会上尽力，使文化逐渐增高。现在我国的人民、自卫自治的能力尚未充实，不能立刻夺回政权于军阀政客之手，而自行处理。固然有愧于民国国民的资格；然而社会事业，这十五年中却有显著的进步。我不用说别的，只要把大学教育进步的状况说一说，就可以证明了。

就数量上说，元年唯北京、山西各有国立大学一所，各省公立的止有高等学堂，如今的大学预科，设有大学；私立大学，除教会所设者外没有临到，到了现在，在北京，国立的增了师范、女师范、医科、农科、工科、法政、女子等大学，虽其间有仅足当大学之一科的，而终不能不认为独立的大学，又素有美国大学预备科〈之称〉的清华学校，已扩为大学，在江苏与广东，增了东南与广州两大学，天津的北洋，上海的南洋与同济，均扩为大学了，在上海又增了一个政治大学。省立大学，在云南、陕西、四川、湖北、湖南、河南、山东、直隶、奉天等处，都已成立，浙江、安徽，也有成议。私立的，在北京有中法、朝阳、中国、民国、华北、平民等三十所，在上海有复旦、大同、中国公学大学部、大夏、光华等等三十所，在福建有厦门大学。总算起来，有八十几所。虽其中程度不及大学而冒用大学之名的很不少，然而名副其实的，只要有四分之一，也就十倍于民国元年了。

就内容上说，仅即名副其实的大学说一说。有几种是认为进步的优点：（一）从前大学，科目甚不完备，求曾在大学毕业之人来任大学教员，已苦于不易得，不得已仍以旧时代所谓学者充之。现今在国内外大学毕业的，岁有增加，除了一部分对于学问有十分兴趣，愿委身于教育者外，就是热心办事的学者，也因没有相当的事业可以担任，而愿尽力于教育界。所以各大学延聘教员，饶有选择余地，而教员也很自重，不肯敷衍了事。（二）从前大学，以教员印发讲义，而在讲堂上照讲义演述一遍，便算尽责，并且这种讲义，年年如此，永不修增。学生领了讲义，就算得了学问，不要笔述，也不要看参考书，不要作实验的工夫。现在的大学，注重于图书、仪器的设备，教员对于所教的学科，不断的继续研究，因而每次必有增加的新材料，且督率学生，尽自行试验、自行参考的义务。所以较善的大学，必有较完备的实验室与图书馆，不光是空空洞洞的几个讲堂了。（三）从前大学，还是科举的变相，所望于学生的，是毕业后可以供政府的任用。学生也抱了一种升官发财的目的而来，只要熬到毕业年限，骗到一张毕业证书，就可以别图发展，平日本来无须特别的用工。至于讲堂上课以外，更没有什么需要了。现在知道大学对于学生，不但传授学术，更有养成人格的义务。所以于指导学生切实用功以外，还有各种体育、美育之设备，辩论演说的练习，游历调查的组织，以引起学生自尊人格、服务社会的精神。就这几点看来，不能不说今日的大学，比十五年前已经进步得多了。

还有一事值得特别标举的，是现在大学渐共趋于设立研究所之一途。原大学的责任，本不但在养成一种人才，能以现在已有的学术，来处理现在已有的事业，而在乎时时有新的发见与发明，指导事业界，促其进步。所以大学不但是教育传授学术于学生的机关，而实在是教员与学生共同研究的机关。民国元年，教育部所定的大学规程，本有研究所一项，而各大学没有举行的。国立北京大学于七年间曾拟设各门研究所，因建设费无从筹出，不能成立。十年议决，归并为自然科学、社会科学、国学、外国文学四门。而国学门即于十一年成立。五年以来，其中编辑室、考古学研究室、明清史料整理会、风俗调查会、歌谣研究室、方言调查会等，已著有不少的成绩，所著录研究生三十二人，也已有十二人贡献心得的著作。其他若地质学系、物理学系等，虽未立研究所名义，而教员研究所得，已为社会所推许。最近两年来，清华大学已设立研究院，而厦门大学也有国学研究所的组织，这尤是大学教育进步的明证。

　　古人说："国于天地，必有与立。"立国之本，在实业与教育，而教育负有养成实业人才的任务。所以教育进步，确为国民进步的符验。没有好的小学，就没有好的中学生，没有好的中学，就没有好的大学生。所以有人说，小学没有办好，就不必读中学，中学没有办好，就不必读大学，这固然有一方面的理由，然而大学教育不好，就没有办中等教育的人才，中等教育不好，就没有办初等教育的人才，不也是有理由的吗？我是最接近于大学教育的人，所以由大学教育的进步，而推想教育界全体的进步，又由教育进步而推想实业的进步，只要从此进步不已，那政治、军事上的纠纷，是没有不可以解决的。我想过了几年，我们的国庆日，一定可以达到不可吊而可庆的程度。

读书与救国
——在杭州之江大学演说词

（一九二七年三月十二日）

今天承贵校校长费博士介绍，得来此参观，引为非常的荣幸！贵校的创设，有数十年的悠久历史，内中一切规模设备，甚是完美。不用说，这个学校是我们浙江唯一的最高学府。青年学子不必远离家乡，负笈千里，即可求得高深学问，这可不是我们浙江青年的幸福吗！

我看贵校的编制，分文、理二科，这正合西洋各大学以文、理为学校基本学科的本旨。我们大家晓得，攻文学的人，不独要在书本子里探讨，还当受大自然的陶镕。是以求学的环境，非常重要。请看英国牛津大学和美国哥伦比亚大学，他们都设在城外风景佳绝之地。因此，这两个学校里产出的文学巨子，亦较别校为多。贵校的校址，负山带河，面江背湖，空气固是新鲜，风景更属美丽。诸位求学于如此山明水秀之处所，自必兴趣丛生，收事半功倍之效。所以我很希望你们当中学文科的人，能多多造成几位东方之文学泰斗。

印度文明，太偏重于理想，不适合于二十世纪的国家。现在是科学竞争时代，物质万能时代，世界上的强国，无不是工业兴隆，对于声光化电的学问，研究得至微至细的。什么电灯啦，电报啦，轮船啦，火车啦，这些有利人类的一切发明，皆外人贡献的。我们中国就是本着古礼"来而不往，非礼也"的公式，也该有点发明，与世界各国相交换才是。这个责任，我希望贵校学理科的诸位，能自告奋勇地去担负起来。

现在国内一般人们，对于收回教育权的声浪，皆呼得非常之高，而我则以为这个时期还没到。试问国立的几所少数学校，是否能完全容纳中国的学生，而使之无向隅之憾呢？中国目下的情形，是需要人才的时候，不应该拘执于微末之争。至云教会学校的学生，对于爱国运动很少参加，便是无爱国的热忱，这个见解更是错了。学生在求学时期，自应唯学是务，朝朝暮暮，自宜在书本子里用功夫。但大家不用误会，我并不是说学生应完全的不参加爱国运动，总要能爱国不忘读书，读书不忘爱国，如此方谓得其要旨。至若现在有一班学生，借着爱国的美名，今日罢课，明天游行，完全把读书忘记了，像这样的爱国运动，是我所不敢赞同的。

我在外国已有多年，并未多见罢课的事情。只有法国一个高等学堂里，因换一教员，同时有二人欲谋此缺，一新派，一旧派，旧派为保守党，脑筋旧，所以政府主用新人物，因此相争，旧派乃联络全城的高等学校罢课。当时西人认为很惊奇的一回事。而我国则不然，自"五四"以后，学潮澎湃，日胜一日，罢课游行，成为司空见惯，不以为异。不知学人之长，唯知采人之短，以致江河日下，不可收拾，言之实堪痛心啊！

总之，救国问题，谈何容易，决非一朝一夕空言爱国所可生效的。从前勾践雪耻，也曾用"十年生聚，十年教训"的工夫，而后方克遂志。所以我很希望诸位如今在学校里，能努力研究学术，格外穷理。因为能在学校里多用一点工夫，即为国家将来能多办一件事体。外务少管些，应酬以适环境为是，勿虚掷光阴。宜多多组织研究会，常常在试验室里下工夫。他日学成出校，为国宣力，胸有成竹，临事自能措置裕如。一校之学生如是，全国各学校之学生亦如是，那么中国的前途，便自然一天光明一天了。

中国新教育之趋势
——在暨南大学演说词

（一九二七年十一月十二日）

今天是总理诞辰，我们都来开会纪念他，那么，对于他的主义一定是十分信仰，对于他的计划一定是要力行的。但是总理的计划很大，如军事、教育、政治、经济等皆是，我们不能够完全担任，只能分工作去，以谋完成他的计划。我们分任教育，所以只能讲教育。前天贵校教务长说，同学们要我来讲中国新教育的趋势，现在请先说大学区的组织，然后再说新教育的意义。

大学区是地方教育行政上的一种制度。在七八年前，我曾发表过意见说：最好是以大学来管理全省的学务，但是，未曾实现。迨国民革命军达到浙江之后，蒋君梦麟就要把浙江先行试验一下，因为现在是二十世纪，无一桩事体不与从前相差很远的，我们应该顺应时代的潮流，不能牢守旧制，不谋改革。而且一省的教育范围很大，大学、中学、小学都包括其中，断非一个教育厅所能办得好的，我们拿工业上制造品来说，是以美为要件的，譬如一只花瓶，一定要经过科学方法的发明，富有美术的意味，买花瓶的人，必定选一个合意的，就是以它为美丽。何以要有所选择呢？就是因为好的被选择，不好的被淘汰，美术才有发展进步的机会呵！教育是培养人才的，是不可以不注意科学与艺术的。办学校的教职员，有的是师范生，有的不是师范生，他们好不好，教育厅是应当去考察的，假如仍由从前官僚化的教育厅来管理地方教育行政，那是永无改进的希望的。因为教育厅厅长及科长、科员等，他们的学识，固然未必全在学校教职员之上，而且他们离开学校很久，不甚明白社会的潮流，所以他们尽敷衍表现，而无实际的心得。现在大学区的办法，是由大学校长兼管本区的中小学及其他特殊教育，教育行政都归大学教授组织，并且有研究院担任种种计划。这种制度，法国久已实行了，法国分全国为十七个大学区。我本想分全国为十个大学区，恐怕难于成功，所以规划在江苏、浙江两省试办，不过粗具规模罢了。现在的教育行政部，是一部分教授，和专门研究过教育的学者来组织的，我想比从前的教育厅总许要好些，办得长久，定会发达的。至于中央的大学院，除掉一小部份属于行政事情以外，其余皆是研究的机关，如美术院、音乐院，中央研究院等皆是。

现在我再来讲新教育之意义，可分三点：

（1）养成科学的头脑 从前有许多不是科学的，如心理学从前是附属于哲学，现在应用物理的方法、生理的方法来研究它，便成为科学了。又如经济、政治也是应用科学方法来研究的。还有许多用统计的方法的，均不离科学，而且与科学相连贯。现在有许多人最易受刺激，听人怎样说，便怎样信，这实在是因为他们没有科学头脑，不能求其因果，凡事要考求其所以然，要穷究其因果关系，那么他的头脑才算经过一番科学的训练。譬如开车，我要由上海到真如，定要再等一个钟点，并且要亲至站里头看看开行的时刻表，不是人家怎么说，我便怎样信的。因为科学家所发明的，都是有因果、有系统的，物质同办事的两方面，固然是要如此，对于精神的，——教育——也是要养成科学的头脑的。希望科学家全体起来，研究怎样可以叫人养成科学的头脑，不妨多办几所研究院。

（2）养成劳动的能力 劳动是人生一桩最要紧的事体。在总理的三民主义中的民生问题，简单说起来，就是人人要能生产，人人能生活。犹如古人所说："一夫不耕，天下受其饥，一妇不织，天下受其寒"的意思。若要人人能生产，那是非打破"劳力"和"劳心"的成见不可，因为有这种的分别，易使一般劳心的永远劳心，劳力者永远劳力，渐渐形成两种阶级。这两种阶级的发生，实由于教育的不平等。所以要想救此弊端，非普及教育不可，使劳动者得有智识，劳心者也去劳力，这实在是一件要紧的事。李石曾先生说过：各个人至少要当三年兵，一年作工，使得劳心者可以养成劳动的习惯，真是一件最好的事！现在大学院创办劳动大学，分为劳工学院、劳农学院，收中学、小学的毕业生，入劳动大学读书，养成他们作工的习惯；又有工人学校，使劳工得些智识，如这样的学校，以后还望逐渐的添办起来。

（3）提倡艺术的兴趣　我们无论作什么事，因为艺术的关系，能够增进我们的精神，便增加了一种兴趣，这就叫作艺术的兴趣。譬如一个文学家，他终身埋在文学里面，旁人看他所工作的，似乎很苦恼，然而他终是不停的工作，这便是得到一种艺术的兴趣，甚至于全忘他的生死。诸君从南洋回到本国来，言语不通，真是非常痛苦的一件事，很可借艺术来调剂，最好多开些音乐会、展览会。在国家方面，多开设几所美术馆、音乐院来提倡艺术的兴趣。不过现在中国，还没有完全的音乐院。这是只有希望作教员的能够学术化，担任的钟点不要多，留着余暇来自修；同学们要认真求学，不可计算几时毕业，只想多收几份讲义便算了事。

从前国内政治不好，教员都不能安心作事，学生不能一心求学。现在军阀的势力已经去掉，到了训政时期，大家可以抱定宗旨，将精神收敛在学校以内，来作国家建设的人材。在此时期，对于科学、劳动、艺术三方面，均须努力。外面虽来了刺激，不像从前那样兴奋。此是我希望诸位同学的。

康德美学述

（一九一六年）

康德既作纯粹理性评判，以明认识力之有界；又作实践理性评判，以明道德心之自由。而感于两者之不可以不一致，及认识力之不可以不受范于道德心，乃于两者之间，求得所谓断定力者，以为两者之津梁。盖认识力者，丽于自然者也，道德心者，悬为鹄的者也，而自然界有一种归依鹄的之作用，是为断定力之所丽，故适介二者之间，而为之津梁也。唯是自然界归依鹄的之作用，又有客观、主观之别。客观者，由自然现象之关系言之也，属于鹄的论之断定。主观者，由吾人赏鉴之状态而言之也，属于美学之断定。故康德断定为评判，分为美学与鹄的论二部。今节译其美学一部之说如下。

（一）美学之基本问题

康德以前之哲学，无论其为思索派，或经验派，恒以美为物体之一种性质，或以为物与物相互之一种关系。康德反之，以为物之本体，初无所谓美也。当其未及吾人赏鉴之范围，美学之性质无自而发现，犹之世界无不关意志之善恶，无不关知识之真伪也。故康德之基本问题，非曰何者为美学之物，乃曰美学之断定何以能成立也。美学之断定，发端于主观快与不快之感。苟吾人见一表象，而无所谓快与不快，则无所谓美学之断定。美学之断定，为一种表象与感情之结合，故为综合断定。且此等断定。不属于客观认识界之价值，而特为普遍及必然之条件。吾人唯能自先天性指证之，而不能自感觉界求得之，故当为先天之综合断定。顾此等先天性综

合断定何以能成立乎？吾人欲解答此问题，不可不先明此断定之为何者。故美学之基本问题，其一曰何者为美学之断定乎？其二曰美学之断定何以能成立乎？其一，所以研究其内容，以美学断定之解剖解答之。其二，所以研究其原本，以纯粹美学之演绎解答之。

美学之断语有二，曰优美，曰壮美。故美学断定之解剖，区为二部，一曰优美之解剖，二曰壮美之解剖。

（二）优美之解剖

（甲）超　逸

凡吾人所以下优美之断定者，对于一种表象而感为愉快也。虽然，吾人愉快之感不必专系乎愉美，有系于满意者，有系于利用者，有系于善良者。何以别之？曰，满意之愉快全属于感觉，利用及善良之愉快又属于实际，此皆与美学断定相违之性质也。满意者亦主观现象之一，例如曰山高林茂，此客观之状态也；曰山高林茂，触目怡情，则主观之关系也。满意者，吾人之感官，受一种之刺触而感为满足，故亦不本于概念。利用及善良则否，利用者，可借以达于一种之善良者也。善良者，各人意志之所趋向也。利用为作用，而善良为鹄的，二者皆丽于客观，皆毗于实际，皆吾人意志之所管摄者也。所以生愉快者，由于有鹄的之概念，而或间接以达之，或直接以达之。

满意也，利用也，善良也，各有相为同异之点。满意之事，不必有利而无害，幸福之生涯，恒足以使人满意，而不必同时即为善良，此其差别之显然者也。其相同之点，则三者皆有欲求之关系是也。饥者得其食，百工利其器，君子成其德，其所以愉快者，皆由于有所求而得之。差别之点，唯其一属于感觉，其二属于实用，其三属于道德而已。夫吾人之有所求，由于吾人之有所需。所需者，不特吾人所见之表象，而直接于表象所自出之体质。其体质有可享受，或可应用，或可实现，非人生最后之鹄的，即吾侪日用之利益。是皆主观与客观间有体质之关系，而主观之愉快，乃发端于客观之体质焉。

始有所需，继有所得，而愉快之感以起，是皆有关实利之愉快也。有一种愉快焉。既非官体之所触，又非业务之所资，且亦非道德之所托，是非关于实利也,是谓优美之感。吾人欲认识优美之感之特性,莫便于举一切快感而舍其有关实利者。夫有关实利之快感,不外夫满意、利用、善良三者,然则快感之贯于此三种者,唯优美之感而已。

夫吾人优美之感既全无实利之关系,则吾人之于其对象,非所嗜也,非所资也,非有所激刺于意志也。既非所趋之鹄的,又非所凭之作用,则纯粹之赏鉴而已矣。纯粹之赏鉴足以镇定嗜欲,奠定意志。盖意志之与赏鉴,常为互相消息之态度。意志者,常受一种对象之冲动,而赏鉴则反之。意志之状态,动作也,皇急也,阢陧也,而纯粹之赏鉴则永永宁静。吾人对于一种之对象,而求其全无嗜欲之关系,势不能有利于纯粹之赏鉴,而纯粹赏鉴之对象,势不能有外乎形式。种种物体,各凭其性质而有以满足吾人之需要,若仅即形式而言之,于吾人种种之需要,均无自而满足也。而赏鉴之者,乃别有一种满足之感,是谓美感。而其所赏鉴者,谓之优美。

凡吾人之所需要及嗜欲,常因依于一种之体质,而借此体质以餍其欲望,为愉快之所由来。此等愉快不能不有所羁绊,而且一得一失,动为死生祸福之所关,故其情又至为矜严。纯粹之美感则不受一切欲望之羁绊,故纯任自由。且亦无与于人生之运命,故恒不出之以矜严,而出之以游戏焉。康德之述美学也,尝谓为兴味之学。兴味之义,在官体者常非其所需要,而在习俗者,又常不关于道德,饥者易为食,渴者易为饮,需要故也。而所谓美味,则初不以充饥而解渴。道德之律,守之则安,违之则悔,为责任心故也。若乃揖让之仪,馈赠之品,颂祷之间,初不必出于敬爱之本心,而自有所谓行习之兴味。以此例推,则于自由之美感思过半矣。满意者,官能之事也,善良者,理性之事也,美感者,官能与理性之吻合也。人类者,既非如动物之有官能而无理性,又非如理想之神有理性而无官体,故美感者,人类专有之作用也。

(乙) 普 遍

凡实利之关系,常因人而殊,一人之中,又因时位而殊。

一人之所需要,在他人有视为无用者,亦有视为有害者。且同一人也,今日之所求,难保其不及他日而弃厌之。故自善良以外,有关实利之愉快,皆专己主义者也。循环而言之,以小己为本位而认为专有之快感者,常有实利之关系,而关系实利之快感,常有种种之不同,如人与人之

互相差别也；夫差别之快感，其关系实利也如此，而美感之愉快，乃独无实利之关系。然则美感者，非差别而普遍，非专己主义而世界主义也，故人举一对象以表示其优美之感者，不曰是于我为优美，而曰是为优美，是即含有普及人人之意义焉。

有因优美之普遍性而疑其基本于客观之现象者。果尔，则为概念之断定，入论理之范围，而不属于美学。美学之断定，以快与不快之感为基本，而初不本于知识。丽于主观之状态，而初不原于客观。吾人于论理断定与美学断定之间，求过渡之状态而不可得。然则两者非程度之差别，两种类之差别也。

美学之断定，既不属于概念，故其所断定者，为单一之对象，而不必推及于其同类，是为单一断定。例如对一蔷薇花而曰，此花甚美，此美学之断定也。如由是而推之曰，凡蔷薇花皆甚美，则构成概念，而为论理之断定矣。又如曰，此花甚适意，则虽亦单一之断定，然为专己性而非普遍性，为满意而不为美感矣。对于单一对象之断定，而又可以通之于人人，是则美感之特性也。

满意者，感觉界之愉快也。吾人必先觉其为满意而后以是断定之，故快感常先于断定。夫断定之先，已有快感，是其快感不出于赏鉴，而发于物体之激刺，是为感觉界之经验所羁绊，而不能印证于人人。快感之可以印证于人人者，其表示也。不在对象断定之先，而常随其后，以其根本于纯粹之赏鉴也。

凡赏鉴一种对象，不能不及影响于表象力。表象力者，形容作用及把持作用之结合也。形容作用演而为想象，于是有直观之写照。把持作用演而为理解，于是有合法之统一。两者合同而后有断定。断定者，常有普遍性者也，唯属于论理者常受规定于概念，而属于美学者则否。故美学之赏鉴不关于知识。知识者，形容力与想象力之结合也。而在赏鉴，则二者为不相结合之符同，故谓之想象力与理解力之游戏，亦或谓之无宗旨之调和。盖徒有想象力与理解力之调和，而初不以认识为宗旨也。

（丙）有　则

凡对象之可以起人快感者，不能无一种规则，即所谓依的作用之状态是也。以常情论之，既有依的作用，则必有其所归依之鹄的。鹄的者，作用之原因也。由此作用而得达其鹄的，则鹄的者又为作用之效果。故吾人对于一种对象而谓之依的作用者，以求得其所依之的以为准，是即一种之概念也。使吾人欲游一地，则不可不为适宜之旅行。使吾人欲成一书，则不可不为适宜之记述。唯其适宜也，而有可游可成之希望，于是乎愉快，是关于实际之愉快也。便吾人对于一种天然或人造之品物，而欲求其所以为此构造之故，则必有种种之观察若研究。一旦求而得之，则亦不胜其愉快，是关于智力之愉快也。是皆附丽于概念者也。

今也，对于优美之快感无所谓概念，则无所谓鹄的也。使吾人因欲赏鉴一种优美之对象，而预期其愉快，如是，则非纯粹之赏鉴，而参之以欲望，非徒赏鉴其形式，而直接关系于其体质，于是不复为美感，而为引惹，为激刺。引惹也，激刺也，皆物质之效力，而非复形式之功用，故为感觉界之愉快，而不复为纯粹之美感焉。

纯粹之美感专对于形式，而无关于体质。一切接触于感觉神经之原素皆不得而参入，轶出于经验之范围，而不准以概念，故不能有鹄的，且亦不能有所谓依的作用之表象。然而既有形式，则自有一种依的作用之状态。有依的作用之状态而无有鹄的，此美感之特性也。

美感起于形式，则其依的作用之状态，属于主观，而不属于客观。客观之依的作用，有内外之别，在外者以属于他物之概念为的者也。在内者以属于本体之概念为的者也。以他物之概念为的，则其依的作用为利用。以本体之概念为的，则其依的作用为自成。凡即一种对象而以利用若自成评判之者，卒皆以鹄的之概念为标准。其鹄的之概念愈完全，则其依的作用之表象愈明晰。以此等表象之观察而起其快感，皆属于智力，而不属于美感者也。

康德以前之哲学，多以自成之概念说美学。彼以为自成之概念，在感觉界与智力界，有程度之差别，即前者隐约而后者明晰是也。于是以自成概念之不明晰，而表现于感觉界者谓之美。包吾介登之美学，即本此主义而建设者。至康德，始立区别于玄学、美学之间，而以不关概念为美感之说。于是依的作用不失为美感之一特性，而要必以无鹄的之概念为界焉。

（丁）必 然

美感者，有普遍性者也。凡有普遍性者，常为必然性。满意之快感，人各不同，且在一人而亦与时为转移，是偶然而非必然也。优美之快感则不然。谓之优美，非曰于我为美，而于人则否。亦非曰此时为美，而异时

则否。其断定也，含有至溥博而至悠久之意义，此其所以为必然性也。

有论理之必然性，是属于理论概念者。有道德之必然性，是属于实践之概念者。两者皆（附）丽于客观也。美感者，既非有认识真理之要求，亦非循实践理性之命令，而特为纯粹之赏鉴，且超然于客观概念之外，是主观之必然性也。

于是合四者而言之，美者，循超逸之快感，为普遍之断定，无鹄的而有则，无概念而必然者也。（未完）

以美育代宗教说
——在北京神州学会演说词

（一九一七年四月八日）

　　兄弟于学问界未曾为系统的研究，在学会中本无可以表示之意见。唯既承学会诸君子责以讲演，则以无可如何中，择一于我国有研究价值之问题为到会诸君一言，即"以美育代宗教"之说是也。

　　夫宗教之为物，在彼欧西各国，已为过去问题。盖宗教之内容，现皆经学者以科学的研究解决之矣。吾人游历欧洲，虽见教堂棋布，一般人民亦多入堂礼拜，此则一种历史上之习惯。譬如前清时代之袍褂，在民国本不适用，然因其存积甚多，毁之可惜，则定为乙种礼服而沿用之，未尝不可。又如祝寿、会葬之仪，在学理上了无价值，然戚友中既以请贴〔帖〕、讣闻相招，势不能不循例参加，藉通情愫。欧人之沿习宗教仪式，亦犹是耳。所可怪者，我中国既无欧人此种特别之习惯，乃以彼邦过去之事实作为新知，竟有多人提出讨论。此则由于留学外国之学生，见彼国社会之进化，而误听教士之言，一切归功于宗教，遂欲以基督教劝导国人。而一部分之沿习旧思想者，则承前说而稍变之，以孔子为我国之基督，遂欲组织孔教，奔走呼号，视为今日重要问题。

　　自兄弟观之，宗教之原始，不外因吾人精神作用而构成。吾人精神上之作用，普通分为三种，一曰知识；二曰意志；三曰感情。最早之宗教，常兼此三作用而有之。盖以吾人当未开化时代，脑力简单，视吾人一身与世界万物，均为一种不可思议之事。生自何来？死将何往？创造之者何人？管理之者何术？凡此种种，皆当时之人所提出之问题，以求解答者也，于是有宗教家勉强解答之。如基督教推本于上帝，印度旧教则归之梵

天,我国神话则归之盘古。其他各种现象,亦皆以神道为唯一之理由。此知识作用之附丽于宗教者也。且吾人生而有生存之欲望,由此欲望而发生一种利己之心。其初以为非损人不能利己,故恃强凌弱,掠夺攫取之事,所在多有,其后经验稍多,知利人之不可少,于是有宗教家提倡利他主义。此意志作用之附丽于宗教者也。又如跳舞、唱歌,虽野蛮人亦皆乐此不疲。而对于居室、雕刻、图画等事,虽石器时代之遗迹,皆足以考见其爱美之思想。此皆人情之常,而宗教家利用之以为诱人信仰之方法。于是未开化人之美术,无一不与宗教相关联。此又情感作用之附丽于宗教者也。天演之例,由浑而画。当时精神作用至为浑沌,遂结合而为宗教。又并无他种学术与之对,故宗教在社会上遂具有特别之势力焉。

迨后社会文化日渐进步,科学发达,学者遂举古人所谓不可思议者,皆一一解释之以科学。日星之现象,地球之缘起,动植物之分布,人种之差别,皆得以理化、博物、人种、古物诸科学证明之。而宗教家所谓吾人为上帝所创造者,从生物进化论观之,吾人最初之始祖,实为一种极小之动物,后始日渐进化为人耳。此知识作用离宗教而独立之证也。宗教家对于人群之规则,以为神之所定,可以永远不变。然希腊诡辩家,因巡游各地之故,知各民族之所谓道德,往往互相抵触,已怀疑于一成不变之原则。近世学者据生理学、心理学、社会学之公例,以应用于伦理,则知具体之道德不能不随时随地而变迁;而道德之原理则可由种种不同之具体者而归纳以得之;而宗教家之演绎法,全不适用,此意志作用离宗教而独立之证也。

知识、意志两作用,既皆脱离宗教以外,于是宗教所最有密切关系者,唯有情感作用,即所谓美感。凡宗教之建筑,多择山水最胜之处,吾国人所谓天下名山僧占多,即其例也。其间恒有古木名花,传播于诗人之笔,是皆利用自然之美以感人者。其建筑也,恒有峻秀之塔,崇闳幽邃之殿堂,饰以精致之造像,瑰丽之壁画,构成黯淡之光线,佐以微妙之音乐。赞美者必有著名之歌词,演说者必有雄辩之素养,凡此种种,皆为美术作用,故能引人入胜。苟举以上种种设施而屏弃之,恐无能为役矣。然而美术之进化史,实亦有脱离宗教之趋势。例如吾国南北朝著名之建筑则伽蓝耳,其雕刻则造像耳,图画则佛像及地狱变相之属为多;文学之一部分,亦与佛教为缘。而唐以后诗文,遂多以风情人情世事为对象;宋元以后之图画，多写山水花鸟等自然之美。周以前之鼎彝，皆用诸祭祀。汉唐之吉金，宋元以来之名瓷，则专供把玩，野蛮时代之跳舞，专以娱神，而今则以之自娱。欧洲中古时代留遗之建筑，其最著者率为教堂。其雕刻图画之资料，多取诸新旧约；其音乐，则附丽于赞美歌；其演剧，亦排演耶稣故事，与我国旧剧"目莲救母"相类。及文艺复兴以后，各种美术，渐离宗教而尚人文。至于今日，宏丽之建筑，多为学校、剧院、博物院。而新设之教堂，有美学上价值者，几无可指数。其他美术，亦多取资于自然现象及社会状态。于是以美育论，已有与宗教分合之两派。以此两派相较，美育之附丽于宗教者，常受宗教之累，失其陶养之作用，而转以激刺感情。盖无论何等宗教，无不有扩张己教、攻击异教之条件。回教之谟罕默德，左手持《可兰经》，而右手持剑，不从其教者杀之。基督教与回教冲突，而有十字军之战，几及百年。基督教中又有新旧教之战，亦亘数十年之久。至佛教之圆通，非他教所能及。而学佛者苟有拘牵教义之成见，则崇拜舍利受持经忏之陋习，虽通人亦肯为之。甚至为护法起见，不惜于共和时代，附和帝制。宗教之为累，以至于此，皆激刺感情之作用为之也。

鉴激刺感情之弊，而专尚陶养感情之术，则莫如舍宗教而易以纯粹之美育。纯粹之美育，所以陶养吾人之感情，使有高尚纯洁之习惯，而使人我之见、利己损人之思念，以渐消沮者也。盖以美为普遍性，决无人我差别之见能参入其中。食物之入我口者，不能兼果他人之腹；衣服之在我身者，不能兼供他人之温，以其非普遍性也。美则不然；即如北京左近之西山，我游之，人亦游之；我无损于人，人亦无损于我也。隔千里兮共明月，我与人均不得而私之。中央公园之花石，农事试验场之水木，人人得而赏。埃及之金字塔，希腊之神祠，罗马之剧场，瞻望赏叹者若干人，且历若干年，而价值如故。各国之博物院，无不公开者，即私人收藏之珍品，亦时供同志之赏览。各地方之音乐会、演剧场，均以容多数人为快。所谓独乐乐不如人乐乐，与寡乐乐不如与众乐乐，以齐宣王之惛，尚能承认之。美之为普遍性可知矣。且美之批评，虽间亦因人而异，然不曰是于我为美，而曰是为美，是亦以普遍性为标准之一证也。

美以普遍性之故，不复有人我之关系，遂亦不能有利害之关系。马牛，人之所利用者，而戴嵩所画之牛，韩幹所画之马，决无对之而作服乘

之想者。狮虎,人之所畏也,而卢沟桥之石狮,神虎桥之石虎,决无对之而生搏噬之恐者。植物之花,所以成实也,而吾人赏花,决非作果实可食之想。善歌之鸟,恒非食品。灿烂之蛇,多含毒液。而以审美之观念对之,其价值自若。美色,人之所好也;对希腊之裸像,决不敢作龙阳之想;对拉飞尔若鲁滨司之裸体画,决不敢有周昉秘戏图之想。盖美之超绝实际也如是。且于普通之美以外,就特别之美而观察之,则其义益显。例如崇闳之美,有至大至刚两种。至大者如吾人在大海中,唯见天水相连,茫无涯涘。又如夜中仰数恒星,知一星为一世界,而不能得其止境,顿觉吾身之上虽微尘不足以喻,而不知何者为所有。其至刚者,如疾风震霆,覆舟倾屋,洪水横流,火山喷薄,虽拔山盖世之气力,亦无所施,而不知何者为好胜。夫所谓大也,刚也,皆对待之名也。今既自以为无大之可言,无刚之可恃,则且忽然超出乎对待境,而与前所谓至大至刚者胖合而为一体,其愉快遂无限量。当斯时也,又岂尚有利害得丧之见能参入其间耶!其他美育中,如悲剧之美,以其能破除吾人贪恋幸福之思想。《小雅》之怨悱,屈子之离忧,均能特别感人。《西厢记》若终于崔、张团圆,则平淡无奇;唯如原本之终于草桥一梦,始足发人深省。《石头记》若如《红楼后梦》等,必使宝、黛成婚,则此书可以不作;原本之所以动人者,正以宝、黛之结果一死一亡,与吾人之所谓幸福全然相反也。又如滑稽之美,以不与事实相应为条件。如人物之状态,各部分互有比例。而滑稽画中之人物,则故使一部分特别长大或特别短小。作诗则故为不谐之声调,用字则取资于同音异义者。方朔割肉以遗细君,不自责而反自夸。优旃谏漆城,不言其无益,而反谓漆城荡荡,寇来不得上,皆与实际不相容,故令人失笑耳。要之,美学之中,其大别为都丽之美,崇闳之美(日本人译言优美、壮美)。而附丽于崇闳之悲剧,附丽于都丽之滑稽,皆足以破人我之见,去利害得失之计较,则其所以陶养性灵,使之日进于高尚者,固已足矣。又何取乎侈言阴骘、攻击异派之宗教,以激刺人心,而使之渐丧其纯粹之美感为耶。

文化运动不要忘了美育

（一九一九年十二月一日）

现在文化运动，已经由欧美各国传到中国了。解放啊！创造啊！新思潮啊！新生活啊！在各种周报上，已经数见不鲜了。但文化不是简单，是复杂的；运动不是空谈，是要实行的。要透澈复杂的真相，应研究科学。要鼓励实行的兴会，应利用美术。科学的教育，在中国可算有萌芽了。美术的教育，除了小学校中机械性的音乐、图画以外，简截可说是没有。

不是用美术的教育，提起一种超越利害的兴趣，融合一种划分人我的僻见，保持一种永久平和的心境；单单凭那个性的冲动，环境的刺激，投入文化运动的潮流，恐不免有下列三种的流弊：（一）看得很明白，责备他人也很周密，但是到了自己实行的机会，给小小的利害绊住，不能不牺牲主义。（二）借了很好的主义作护身符，放纵卑劣的欲望；到劣迹败露了，叫反对党把他的污点，影射到神圣主义上，增了发展的阻力。（三）想用简单的方法，短少的时间，达他的极端的主义；经了几次挫折，就觉得没有希望，发起厌世观，甚且自杀。这三种流弊，不是渐渐发见了吗？一般自号觉醒的人，还能不注意吗？

文化进步的国民，既然实施科学教育，尤要普及美术教育。专门练习的，既有美术学校、音乐学校、美术工艺学校、优伶学校等，大学校又设有文学、美学、美术史、乐理等讲座与研究所。普及社会的，有公开的美术馆或博物院，中间陈列品，或由私人捐赠，或用公款购置，都是非常珍贵的。有临时的展览会，有音乐会，有国立或公立的剧院，或演歌舞剧，或演科白剧，都是由著名的文学家、音乐家编制的。演剧的人，多是受过

专门教育、有理想、有责任心的。市中大道,不但分行植树,并且间以花畦,逐次移植应时的花。几条大道的交叉点,必设广场,有大树,有喷泉,有花坛,有雕刻品。小的市镇,总有一个公园。大都会的公园,不只一处。又保存自然的林木,加以点缀,作为最自由的公园。一切公私的建筑,陈列器具,书肆与画肆的印刷品,各方面的广告,都是从美术家的意匠构成。所以不论哪一种人,都时时刻刻有接触美术的机会。我们现在,除文字界稍微有点新机外,别的还有什么?书画是我们的国粹,都是模仿古人的。古人的书画,是有钱的收藏了,作为奢侈品,不是给人人共见的。建筑雕刻,没有人研究。在嚣杂的剧院中,演那简单的音乐,卑鄙的戏曲。在市街上散步,只见飞扬尘土,横冲直撞的车马,商铺门上贴着无聊的春联,地摊上出售那恶俗的花纸。在这种环境中讨生活,什么能引起活泼高尚的感情呢?所以我很望致力文化运动诸君,不要忘了美育。

美术的起原

（一九二〇年五月）

美术有狭义的、广义的。狭义的，是专指建筑、造像（雕刻）、图画与工艺美术（包装饰品等）等。广义的，是于上列各种美术外，又包含文学、音乐、舞蹈等。西洋人著的美术史，用狭义；美学或美术学，用广义。现在所讲的也用广义。

美术的分类，各家不同。今用 Fechner 与 Grosse 等说，分作动静两类：静的是空间的关系，动的是时间的关系。静的美术，普通也用图像美术的名词作范围。他的托始，是一种装饰品。最早的在身体上；其次在用具上，就是图案；又其次乃有独立的图像，就是造像与绘画。由静的美术，过渡到动的美术，是舞蹈，可算是活的图像。在低级民族，舞蹈时候都有唱歌与器乐；我们就不免联想到诗歌与音乐。舞蹈、诗歌、音乐，都是动的美术。

我们要考求这些美术的起源，从哪里下手呢？照进化学的结论，人类是从他种动物进化的。我们一定要考究动物是否有创造美术的能力？我们知道，植物有美丽的花，可以引诱虫类，助他播种。我们知道，动物界有雌雄淘汰的公例：雄的动物，往往有特别美丽的毛羽，可以诱导雌的，才能传种。动物已有美感，是无可疑的。但是这些动物，果有自己制造美术的能力吗？有些美学家，说美术的冲动，起于游戏的冲动。动物有游戏冲动，可以公认。但是说到美术上的创造力，却与游戏不同。动物果有创造力吗？有多数能歌的鸟，如黄莺等，很可以比我们的音乐。中国古书，如《吕氏春秋》等，还说"伶伦取竹制十二筒，听凤凰之鸣，以别十二律"

云云，似乎音乐与歌鸟，很有关系。但他们是否是有意识的歌，无从证明。图像美术里面，造像绘画，是动物界绝对没有的。唯有造巢的能力，很可以与我们的建筑术竞胜。近来如 I. Rennie 著的《Die Baukunst der Tiere》，如 T. Harting 著的《Die Baukunst der Tiere》。如 I. G. Wood 著的《Homes without Hands》，如 L. Buchner 著的《Aus dem Geisteslehen der Tiere》，如 Gr. Romanes 著的《Animal Intelligence》，都对于动物造巢的技术，很多记述。就中最特别的，如蜜蜂的窠，造多数六角形小舍，合成圆穹形。蚁的垤，造成三十层到四十层的楼房，每层用十寸多长的支柱支起来，大厅的顶，于中央构成螺旋式，用十字式木材撑住。非洲的白蚁，有垤上构塔，高至五六迈当的；垤内分作堂、室、甬道等。美洲有一种海貍，在水滨造巢，两方入口都深入严冬不冻的水际；要巢旁的水，保持常度，掘一小池泄过量的水；并设有水门与沟渠。印度与南非都有一种织鸟，他们的巢是用木茎织成的。有一种缝鸟，用植物的纤维，或偶然拾得人类所弃的线，缝大叶作巢；线的首尾都打一个结。在东印度与意大利，都有一种缝鸟，所用的线，是采了棉花，用喙纺成的。澳洲的叶鸟（造巢如叶）在住所以外，别设一个舞蹈厅，地基与各面，都用树枝交互织成，为免内面的不平坦，把那两端相交的叉形都向着外面。又搜集了许多陈列品，都是选那色彩鲜明的，如别的鸟类的毛羽，人用布帛的零片，闪光的小石与螺壳，或用树枝分架起来，或散布在入口的地面。这些都不能不认为一种的技术。但严格的考核起来，造巢的本能，恐还是生存上需要的条件。就是平齐、圆穹等等，虽很合美的形式，未必不是为便于出入回旋起见。要是动物果有创造美术的能力，必能一代一代的进步；今既绝对不然，所以说到美术，不能不说是人类独占的了。

考求人类最早的美术，从两方面着手：一、是古代未开化民族所造的，是古物学的材料。二、是现代未开化民族所造的，是人类学的材料。人类学所得的材料，包括动、静两类。古物学是偏于静的，且往往有脱节处，不是借助人类学，不容易了解。所以考求美术的原始，要用现代未开化民族的作品作主要材料。

现代未开化的民族，除欧洲外，各洲都还有。在亚洲，有 Andamanen 群岛的 mincopie 人，锡兰东部的 Veddha 人，与西伯利亚的北部 Tchuktschen 人。在非洲，有 Kalahari 的 Buschmänner 人。在美洲，北有 Arkisch 的 Eskimo 人、Aleüten 的土人；南有 Feuerländer 群岛的土人、Brasilien 民国的 Botokudrn 人。在澳洲，有各地的土人。都是供给材料给我们的。

现在讲初民的美术，从静的美术起，先讲装饰。

从前达尔文遇着一个 Feuerländer 人，送他一方红布，看他作什么用。他并不制衣报。把这布撕成细条儿，送给同族，作身上的装饰。后来遇着澳洲土人。试试他，也是这个样子。除了 Eskimo 人非衣服不能御寒外，其余初民，大抵看装饰比衣服要紧得多。

装饰可分固着的、活动的两种：固着的，是身上刻文及穿耳、镶唇等。活动的，是巾、带、环、镯等。活动的装饰里面，最简单的，是画身。这又与几种固着的装饰有关系，恐是最早的装饰。

除了 Eskimo 人非全身盖护不能御寒外，其余未开化民族，没有不画身的。澳洲土人旅行时，携一个袋鼠皮的行囊，里面必有红、黄、白三种颜料。每日必要在面部、肩部、胸部点几点。最特殊的，是 Botokuden 人：有时除面部、臂部、胫部外，全身涂成黑色，用红色画一条界线在边上。或自顶至踵，平分左右；一半画黑色，一半不画，其余各民族画身的习惯，大略如下：

画上去的颜色：是红、黄、白、黑四种，红、黄最多。

所画的花样：是点、直线、曲线、十字、交叉纹等，眼边多用白色画圆圈。

所画的部位：是在额、面、项、肩、背、胸、四肢等，或全身。

画的时期；除前述澳洲土人每日略画外，童子成丁祝典、舞蹈会、丧期，均特别注意，如文明人着礼服的样子。也有在死人身上画的。

现在妇女用脂粉，外国马戏的小丑抹脸，中国唱戏的讲究脸谱，怕都是野蛮人画身的习惯遗传下来的。

他们为画的容易脱去，所以又有瘢痕与雕纹两种。暗色的澳洲土人与 Mincopie 人，是专用瘢痕的。黄色的 Buschmänner，古铜色的 Eskimo，是专用雕纹的。

瘢痕是用火石、蚌壳或最古的刀类，在皮肤上或肉际割破。等他收口了，用一种灰白色颜料涂上去。有几处土人，要他瘢痕大一点，就从新创

时起，时时把颜料填上去；或用一种植物的质渗进去。

瘢痕的式样：是点、直线、曲线、马蹄形、半月形等。

所在的地位：是面、胸、背、臂、股等。

时间：澳人自童子成丁的节日割起，随年岁加增，Mincopie人，自八岁起；十六岁或十八岁就完了。

雕纹是在雕过的部位，用一种研碎的颜料渗上去；也有用烟煤或火药的。经一次发炎，等全愈了，就现出永不褪的深蓝色。

雕纹的花样，在Buschmänner还简单，不过刻几条短的直线。Eskimo人的就复杂了。有曲线，有交叉纹，或用多数平行线作扇面式，或作平行线与平列点，并在其间，作屈曲线，或多数正方形。

所雕的部位：是在面、肩、胸、腰、臂、胫等。

雕纹的流行，比瘢痕广而且久。《礼记·王制》篇："东方曰夷，被发文身。……南方曰蛮，雕题交趾。"《疏》说："题，额也。谓以丹青雕题其额。"是当时东南两方的蛮人，都有雕文的习惯。又《史记·吴太伯世家》："太伯、仲雍二人，乃奔荆蛮，文身断发。"应劭说："常在水中，断其发，文其身，以像龙子，故不见伤害。"墨子说："勾践剪发文身以治其国。"庄子说："宋人资章甫以适越，越人断发文身，无所用之。"似乎自商季至周季，越人总是有雕文的。《水浒传》里的史进，身上绣成九条龙。是宋元时代还有用雕文的。听说日本人至今还有。欧洲充水手的人，也有臂上雕纹的。我于一九〇八年，在德国Leipzig的年市场，见两个德国女子，用身上雕纹，售票纵观，我还藏着他们两人的摄影片。可见这种装饰，文明民族里面，也还不免呢。

Botokuden人没有瘢痕，也没有雕纹；却有一种性质相近的固着装饰，就是唇、耳上的木塞子。这就叫作Botopue，怕就是他们族名的缘起。他们小孩子七八岁，就在下唇与耳端穿一个扣状的孔，镶了软木的圆片。过多少时，渐渐儿扩大，直到直径四寸为止。就是有瘢痕或雕纹的民族，也有这一类的装饰；如Buschmänner的唇下镶木片，或象牙，或蛤壳，或石块；澳人鼻端穿小棍或环子；Eskimo人耳端挂环子。

耳环的装饰，一直到文明社会，也还不免。

从固定的装饰过渡到活动的，是发饰。各民族有剪去一部分的，有编成辫子，用象牙环、古铜环束起来的，有编成发束，用兔尾、鸟羽或金属扣作饰的，有用赭石和了油或用蜡涂上，堆成饼状的。现在满洲人的垂辫，全世界女子的梳髻，都是初民发饰的遗传。

头上活动的装饰，是头巾。凡是游猎民族，除Eskimo外，没有不裹头巾的。最简单的用Pandance的叶卷成。别种或用皮条；或用袋鼠毛、植物纤维编成；或用鸵鸟羽、鹰羽、七弦琴尾鸟羽、熊耳毛束成；或用新鲜的木料，刻作鸟羽形带起来；或用绳子穿黑的浆果与白的猴牙相间；或用草带缀一个鸵鸟蛋的壳又插上鸟羽；或用袋鼠牙两小串，分挂两额；或用麻缕编成网式的头巾，又从左耳至右耳，插上黄色或白色鹦鹉羽编成的扇。且有头上戴一只鹭鸟，或一只乌鸦的。各种民族的冠巾，与现今欧美妇女冠上的鸟羽或鸟的外廓，都是从初民的头巾演成的。

其次头饰：有木叶卷成的、或海狗皮切成的带子；有用植物纤维织成的、或兽毛织成的绳子。绳子上串的，是Mangrove树的子、红珊瑚、螺壳、玳瑁、鸟羽、兽骨、兽牙等；也有用人指骨的。满洲人所用的朝珠，与欧美妇女所用的头饰，都是这一类。

其次腰饰：也有带子，用树叶、兽皮制成的。或是绳子，用植物纤维或人发编成的。绳子上往往系有腰褋，有用树叶编成的；有用鸵鸟羽、或蝙蝠毛、或松鼠毛束成的；有用短丝一排的；有用羚羊皮碎条一排，并缀上珠子或卵壳的。吾国周时有大带、素带等，唐以后，且有金带、银带、玉带等，现今军服也用革带，都起于初民的带子。又古人解说市字（即黻字），说人类先知蔽前，后知蔽后，似是起于羞耻的意识。但观未开化民族所用的腰褋，多用碎条，并没有遮蔽的作用。且澳洲男女合组的舞蹈会，未婚的女子有腰褋，已婚的不用。遇着一种不纯洁的会，妇人也系鸟羽编成的腰褋。有许多旅行家说此等饰物，实因平日裸体，恬不为怪，正借饰物为刺激，与羞耻的意识的说明恰相反。

至于四肢的装饰，是在臂上、胫上，系着与颈饰同样的带子、或绳子。后来稍稍进化一点的民族，才带镯子。

上头所说的颈饰、腰饰等等，Eskimo都是没有的。他们的装饰品，是衣服：有裘，有衣缝上缀着的皮条、兽牙、骨类、金类制成的珠子，古铜的小钟。男子有一种上衣，在后面特别加长，很像兽尾。

综观初民身上的装饰，他们最认为有价值的，就是光彩。所以 Feuerlander 人见了玻片，就拿去作颈饰。Buschmänner 得了铜铁的环，算是幸福。他们没有工艺，得不到文明民族最光彩的装饰品。但是自然界有许多供给，如海滩上的螺壳，林木上的果实与枝茎，动物的毛羽与齿牙，他们也很满足了。

他们所用的颜色：第一是红。Goethe 曾说，红色为最能激动感情，所以初民很喜欢他。就是中国人古代尚绯衣，清朝尊红顶，也是这个缘故。其次是黄，又其次是白、是黑，大约冷色是很少选用。只有 Eskimo 的唇钮，用绿色宝石，是很难得的。他们的选用颜色，与肤色很有关系。肤色黑暗的，喜用鲜明的色：所以澳人与 Mincopie 人用白色画身；澳人又用袋鼠白牙作颈饰。肤色鲜明的，喜用黑暗之色：所以 Feulriänder 人用黑色画身；Buschmänner 人用暗色珠子作饰品。

用鸟羽作饰品，不但取他的光彩与颜色，又取他的形式。因为他在静止的时候，仍有流动的感态。自原人时代，直到现在的文明社会，永远占着饰品的资格。其次螺壳，因为他的自然形式，很像用精细人工制成的，所以初民很喜欢他。但在文明社会，只作陈列品的加饰了。

初民的饰品，都是自然界供给，因为他们还没有制造美术品的能力。但是他们已不是纯任自然，他们也根据着美的观念，加过一番功夫。他们把毛皮切成条子，把兽牙、木果等排成串子，把鸟羽编成束子、或扇形，结在头上，都含有美术的条件：就是均齐与节奏。第一条件，是从官肢的性质上来的。第二条件，是从饰品的性质上得来的。因为人的官肢，是左右均齐，所以遇着饰品，也爱均齐。要是例外的不均齐，就觉得可笑或可惊了。身上的瘢痕与雕纹，偶有不均齐的，这还是他们不爱均齐；是他们美术思想最幼稚的时代，还没有见到均齐的美处。节奏也不是开始就见到的；是他们把兽牙或螺壳等在一条绳子上串起来，渐渐儿看出节奏的关系了。Botokuden 人用黑的浆果与白的兽牙相间的串上，就是表示节奏的美丽。不过这还是两种原质的更换，别种兽牙与螺壳的排列法，或利用质料的差别，或利用颜色与大小的差别，也有很复杂的。

身上刻画的花纹，与颈饰、腰饰上兽牙、螺壳的排列法，都是图案一类；但都是附属在身上的。到他们的心量渐广，美的观念，寄托在身外的物品，才有器具上的图案。

他们有图案的器具，是盾、棍、刀、枪、弓、投射器、舟、橹、陶器、桶柄、箭袋、针袋等。

图案有用红、黄、白、黑、棕、蓝等颜料画的，有刻出的。

图案的花样，是点直线、曲屈线、波纹线、十字、交叉线、三角形、方形、斜方形、卍字纹、圆形、或圆形中加点等，也有写蝙蝠、蜥蜴、蛇、鱼、鹿、海豹等全形的。写动物全形，自是模拟自然。就是形学式的图案，也是用自然物或工艺品作模范；譬如十字是一种蜥蜴的花纹；梳形是一种蜂窠的凸纹；曲屈线相联，中狭旁广的，是一种蝙蝠的花纹；双层曲屈线，中有直线的，是蝮蛇的花纹；双钩卍字，是 Cassinauhe 蛇的花纹；浪纹参黑点的，是 Anaconda 蛇的花纹；菱形参填黑的四角形的，是 Lagunen 鱼的花纹。其余可以类推。因为他们所模拟的，是动物的一部分，所以不容易推求。至于所模拟的工艺品，是编物：最简单的陶器，勒出平行线、斜方线，都像编纹；有时在长枪上模拟草篮的花纹，在盾上棍上模拟带纹结纹。也有人说，陶器上的花纹，是怕他过于光滑，不易把持，所以刻上的。又有联想的关系，因陶器的发明，在编物以后，所以瓶釜一类，用筐篮作模范。军器的锋刃，最早是用绳或带系缚在柄上；后来有胶法嵌法了。但是绳带的联想仍在，所以画起来或刻起来了。Freiburg 的博物院中，有两条澳人的枪。他们的锋，一是用绳缚住的；一是用树胶粘住的。但是粘住的一条，也画上绳的样子，与那一条很相像。这就是联想作用的证据。但不论为把持的便利，或为联想的关系，他们既然刻画得很精致，那就是美术的作用。

初民的图案，又很容易与几种实用的记号相混，如文字，如所有权标志，如家族徽章，如宗教上或魔术上的符号，都是。但是排列得很匀称的，就不见得是文字与标志。描画得详细，不是单有轮廓的，就不见得是符号。不是一家族的在一种器具上同有的，就不见得是徽章。又参考他们土人的说明，自然容易辨别了。

图案上美的条件，第一是节奏。简单的，是用一种花样，重复了若干次。复杂的，是用两种以上的花样，重复了若干次。就是文明民族的图案，也是这样。第二是均齐。初民的图案，均齐的固然很多，不均齐的也很不少。例如澳人的三个狭盾，一个是在双弧线中间填曲屈线，左右同数，是均齐的。他一个，是两方均用双钩的曲屈线，但一端三数，一端四数。又一个，是两方均用 T 纹，但一方二数，一方三数。为什么两方不同数？因为有一种动物的体纹是这样。他们纯粹是模拟主义，所以不求均齐了。

图案的取材，全是人与动物，没有兼及植物。因为游猎民族，用猎得的动物作经济上的主要品。他们妇女虽亦捃拾植物，但作为副品，并不十分注意。所以刻画的时候，竟没有想到。

图案里面，有描出动物全体的，这就是图画的发端。Eskimo 人骨制的箭袋，竟雕成鹿形。又有两个针袋，一个是鱼形，又一个是海豹形。这就是造像的发端。

造像术是寒带的民族擅长一点儿。如 Hyperborä 人有骨制的人形、鱼形、海狗形等；Aleuten 人有鱼形、狐形等；Eskimo 人有海狗形等，都雕得颇精工，不是别种游猎民族所有的。

图画是各民族都很发达。但寒带的人，是刻在海象牙上；或用油调了红的粘土、黑的煤，画在海象皮上。所画的除动物形外，多是人生的状况，如雪舍、皮幕、行皮船、乘狗橇、用杈猎熊与海象等。据 Hildebrand 氏说，Tuhuktschen 人曾画月球里的人；因为他画了一个戴厚帽的人，在一个圆圈的中心点。

别种游猎民族，如澳人、Buschmänner 人都有摩崖的大幅。在鲜明的岩石上，就用各种颜色画上。在黑暗的岩壁上，先用坚石划纹，再填上鲜明的颜色。也有先用一种颜色填了底，再用别种颜色画上去的。澳人有在木制屋顶上，涂上烟煤，再用指甲作画的。又有在木制墓碑上，刻出图像的。

澳人用的颜色，以红、黄、白三种为主。黑的用木炭。蓝的不知出何等材料。调色用油。画好了，又用树胶涂上，叫他不褪。Buschmänner 人多用红、黄、棕、黑等色，间有绿色。调色用油或血。

图画的内容，动物形象最多，如袋鼠、象、犀、麒麟、水牛、各种羚羊、鬣狗、马、猿猴、鸵鸟、吐绶鸡、蛇、鱼、蟹、蝎蜥、甲虫等。也画人生状况，如猎兽、刺鱼、逐驼鸟及舞蹈会等。间亦画树，并画屋、船等。

澳人的图画，最特别的是西北方上 Glenelg 山洞里面的人物画。第一洞中，在斜面黑壁上，用白色画一个人的上半截。头上有帽，带著红色的短线。面上画的眼鼻很清楚，其余都缺了。口是澳人从来不画的。面白，眼圈黑。又有红线黄线，描他的外廓。两只垂下的手，画出指形。身上有许多细纹，或者是瘢痕，或是皮衣。在他的右边，又画了四个女子，都注视这个人。头上都戴着深蓝色的首饰，有两个戴发束。第二洞中，有一个侧画人头的画，长二尺，宽十六寸。第三洞中，有一个人的像，长十尺六寸。自颔以下，全用红色外套裹着。仅露手足。头向外面，用圈形的巾子围着。这个像是用红、黄、白三色画的。面上只画两眼，头巾外围，界作许多红线；又仿佛写上几个字似的。

Buschmänner 的图画，最特别的是 Hemon 相近的山洞中的盗牛图。图中一个 Buschmänner 的村落，藏着盗来的牛。被盗的 Kaffern 人追来了。一部分的 Buschmänner 人，驱着牛逃往他处；多数的拿了弓箭来对抗敌人。最可注意的，是 Bushmänner 人躯干虽小，画的筋力很强；Kaffern 人虽然长大，但筋力是弱的。画中对于实物的形状与动作，很能表现出来。

这些游猎民族，虽然不知道现在的直线配景、与空气映景等法，但他们已注意于远近不同的排列法，大约用上下相次来表明前后相次，与埃及人一样。他们的写象实物，很有可惊的技能：（一）因为他们有锐利的观察、与确实的印象。（二）因为他们的主动机关与感觉机关适当的应用。这两种，都是游猎时代生存竞争上所必需的。

在图画与雕像两种以外，又有一种类似雕像的美术，是假面。是西北海滨红印度人的制品，是出于不羁的想象力，与上面所述写实派的雕像与图画很有点不同。动物样子最多，作人面的，也很不自然，故作妖魔的形状。与西藏黄教的假面差不多。

初民的美术，最有大影响的是舞蹈。可分为两种：一种是操练式（体操式），一种是游戏式（演剧式）。操练式舞蹈，最普及的是澳人的 Gorroborris。Mincopie 人与 Eskimo 人，也都有类此的舞蹈。他们的举行，最重要的，是在两族间战后讲和的时候，其他如果蓏成熟、牡蛎收获、猎收丰多、儿童成丁、新年、病愈、丧毕、军队出发、与别族开始联欢等。也随

时举行。举行的地方，或丛林中空地，或在村舍；Eskimo 人有时在雪舍中间。他们的时间，总在月夜，又点上火炬，与月光相映。舞蹈的总是男子；女子别组歌队。别有看客。有一个指挥人，或用双棍相击，或足蹴发音盘，作舞蹈的节拍。他们的舞蹈，总是由缓到急，虽然到了最急烈的时候，但没有不按着节拍的。

别有女子的舞蹈，大约排成行列，用上身摇曳；可两胫展缩作姿势。比男子的舞蹈，静细得多了。

游戏式舞蹈，多有模拟动物的，如袋鼠式、野犬式、鸵鸟式、蝶式、蛙式等。也有模拟人生的，以爱情与战斗为最普通，澳人并有摇船式、死人复活式等。

舞蹈的快乐，是用一种运动发表他感情的冲刺。要是内部冲刺得非常，外部还要拘束，就觉得不快。所以不能不为适应感情的运动。但是这种运动，过度放任，很容易疲乏，由快感变为不快感了。所以不能不有一种规则。初民的舞蹈，无论活动到何等激烈，总是按着节奏，这是很合于美感上条件的。

舞蹈的快乐，一方面是舞人，另一方面是看客。舞人的快乐，从筋骨活动上发生。看客的快乐，从感情移入上发生。因看客有一种快乐，推想到拟人的鬼神也有这种感情，于是有宗教式舞蹈。宗教式舞蹈，大约各民族都是有的；但见诸记载的，现在还止有澳人。他们供奉的魔鬼，叫作 Mindi，常有人在供奉他的地方，举行舞蹈。又有一种，在舞蹈的中间，擎出一个魔像的。总之，舞蹈的起原，是专为娱乐，后来才组入宗教仪式，是可以推想出来的。

初民的舞蹈，多兼歌唱。歌唱的词句，就是诗。但他们独立的诗歌，也就不少。诗歌是一种语言，把个人内界或外界的感触，向着美的目标，用美的形式表示出来。所以诗歌可分作两大类：一是主观的，表示内界的感情与观念，就是表情诗（Lyrik）。一是客观的，表示外界的状况与事变，就是史诗与剧本。这两类都是用感情作要素，是从感情出发，仍影响到感情上去。

人类发表感情，最近的材料，与最自然的形式，是表情诗。他与语言最相近，用一种表情的语言，按着节奏慢慢儿念起来，就变为歌词了。

《尚书》说:"歌永言。"《礼记》说:"言之不足,故长言之。长言之不足,故咏叹之。"就是这个意思。Ehrenreich 氏曾说,Botokuden 人在晚上把昼间的感想咏叹起来,很有诗歌的意味。或说今日猎得很好。或说我们的首领是无畏的。他们每个人把这些话按着节奏的念起来,且再三的念起来。澳洲战士的歌,不是说刺他那里,就说我有什么武器。竟把这种同式的语,迭到若干句。均与普通语言,相去不远。

他们的歌词,多局于下等官能的范围,如大食、大饮等。关于男女间的歌,也很少说到爱情的。很可以看出利己的特点。他总是为自己的命运发感想;若是与他人表同情的,除了惜别与挽词,就没有了。他们的同情,也限于亲属;一涉外人,便带有注意或仇视的意思。他们最喜欢嘲谑,有幸灾乐祸的习惯;对于残废的人,也要有诗词嘲谑他。偶然有出于好奇心的:如澳人初见汽车的喷烟,与商船的鹢首,都随口编作歌词。他们对于自然界的伟大与美丽,很少感触;这是他们过受自然压制的缘故。唯 Eskimo 人,有一首诗,描写山顶层云的状况,是很难得的。他的大意如下:

  "这很大的 Koonak 山在南方——我看见他;——这很大的 koonak 山在南方——我眺望他;——这很亮的闪光,从南方起来,——我很惊讶。——在 koonak 山的那面,——他扩充开来,——仍是 koonak 山——但用海包护起来了。——看啊!他(云)在南方什么样?——滚动而且变化;——看呵!——他在南方什么样?——交互的演成美观。——他(山顶)所受包护的海,——是变化的云;——包护的海,——交互的演成美观。"

有些人,说诗歌是从史诗起的。这不过因为欧洲的文学史,从 Homer 的两首史诗起。不知道 Homer 以前,已经有许多非史的诗,不过不传罢了。大约史诗的发起,总在表情诗以后,澳洲人与 Mincopie 人的史诗,不过参杂节奏的散文;唯有 Eskimo 的童话,是完全按着节奏编的。

普通游猎民族的史诗,多说动物生活与神话;Eskimo 多说人生。他们的著作,都是单量的(Ein Dimension),是线的样子。他们描写动物的性质,往往说到副品为止,很少能表示他特别性质与奇异行为的。说人生也是这样,总是说好的坏的这些普通话,没有说到特性的。说年长未婚的人,总是可笑。说妇女,总是能持家的。说寡妇,总是慈善的。说几个

兄弟的社会，总是骄矜的、粗暴的、猜忌的。

　　Eskimo 有一篇小 Kagsagsuk 的史诗，算是程度较高的。他的大意如下：Kagsagsuk 是一个孤儿，寄养在一个穷的老妪家里。这老妪是住在别家门口的一个小窖，不能容 K.。K. 就在门口偎着狗睡。时时受大人与男女孩童的欺侮。他有一日独自出游，越过一重山，忽然有求强的志愿；想起老妪所授魔术的咒语，就照式念着。有一神兽来了，用尾拂他；由他的身上排出许多海狗骨来。说这些就是阻碍他身体发展的。排了几次，愈排愈少，后来就没有了。回去的时候，觉的很有力了。但是遇着别的孩童欺侮他，他还是忍耐着。又日日去访神兽，觉得一日一日的强起来。有一回，神兽说道：'现在够了！但是要忍耐着。等到冬季，海冻了，有大熊来，你去捕他。'他回去，有欺侮他的，他仍旧忍耐着。冬季到了，有人来报告：'有三个大熊，在冰山上，没有人敢近他。'K. 听到了，告他的养母要去看看。养母嘲笑他道：'好，你给我带两张熊皮来，可作褥子同盖被。'他出去的时候，大家都笑看他。他跑到冰山上，把一只熊打死了，掷给众人，让他们分配去。又把那两只都打死了，剥了皮，带回家去，送给养母，说是褥子与盖被来了。那时候邻近的人，平日轻蔑他的，都备了酒肉，请他饮食，待他很恳切。他有点醉了。向一个替他取水的女孩子道谢的时候，忽然把这个女孩子挦死了。女孩子的父母不敢露出恨他的意思。忽然一群男孩子来了，他刚同他们说应该去猎海狗的话，忽然逼进队里，把一群孩子都打死了。他们这些父母，都不敢露出恨他的意思。他忽然复仇心大发了，把从前欺侮他的人，不管男女壮少，统统打死了。剩了一部分苦人，向来不欺侮他的，他同他们很要好，同消受那冬期的储蓄品。他挑了一只最好的船，很勤的练习航海术；常常作远游，有时往南，有时往北。他心里觉得很自矜了，他那武勇的名誉也传遍全地方了。"

　　多数美术史家与美学家，都当剧本是诗歌最后的；这却不然。演剧的要素，就是语言与姿态同时发表。要是用这个定义，那初民的讲演，就是演剧了。初民讲演一段故事，从没有单纯口讲的；一定随着语言，作出种种相当的姿势，如 Buschmänner 遇着代何种动物说语，就把口作成那一个动物的口式。Eskimo 的讲演，述那一种人的话，就学那一种人的音调，学得很像。我们只要看儿童们讲故事，没有不连着神情与姿态的，就知道演剧的形式是很自然、很原始的了。所以纯粹的史诗，倒是诗歌三式中最后的一式。

普通人对于演剧的观念，或不在兼有姿态的讲作，反重在不止一人的演作。就这个狭义上观察，也觉得在低级民族，早已开始了。第一层，在 Grönland 有两人对唱的诗，并不单是口唱，各作出许多姿态，就是演剧的样子。而且这种对唱，在澳洲也是常见的。第二层，游戏式舞蹈，也是演剧的初步，由对唱到演剧，是添上地位的转动，由舞蹈到演剧，是添上适合姿态的语言。讲到内部的关系，就不容易区别了。

Alëuten 人有一出哑戏。他的内容，是一个人带着弓，作猎人的样子；别一个人扮了一只鸟，猎人见了鸟，作出很爱他，不愿害他的样子。但是鸟要逃了，猎人很着急；自己计较了许久，到底张起弓来，把鸟射死了。猎人高兴的跳舞起来。忽然，他不安了。悔了，于是就哭起来了。那只死鸟又活了。化了一个美女，与猎人挽着臂走了。

澳洲人也有一出哑戏；但有一个全剧指挥人，于每幕中助以很高的歌声。第一幕，是群牛从林中走出，在草地上游戏。这些牛，都是土人扮演的，画出相当的花纹。每一牛的姿态，都很合自然。第二幕。是一群人向这牧群中来，用枪刺两牛，剥皮切肉，都作得很详细。第三幕，是听著林中有马蹄声起来了，不多时，现出白人的马队，放了枪把黑人打退了；不多时，黑人又集合起来，冲过白人一面来，把白人打退了。逐出去了。

这些哑戏，虽然没有相当的诗词，但他们编制，很有诗的意境。

在文明社会，诗歌势力的伸张，半是印刷术发明以后传播便利的缘故。初民既没有印刷，又没有文字，专靠口耳相传，已经不能很广了。他们语音相同的范围又是很狭。他们的诗歌，除了本族以外，传到邻近，就同音乐谱一样了。

文明社会，受诗歌的影响，有很大的，如希腊人与 Homer，意大利人与 Dante，德意志人与 Goethe，是最著的例。初民对于诗歌，自然没有这么大影响；但是他们的需要，也觉得同生活的器具一样。Stokes 氏曾说，他的同伴土人 Miago 遇著何等对象，都很容易很敏捷的构成歌词。而且说，不是他一人有特别的天才，凡澳人普遍如此，Eskimo 人也是各有各的诗。所以他们并不什么样的崇拜诗人；但是对于诗歌的价值，是

普遍承认的。

与舞蹈、诗歌相连的,是音乐。初民的舞蹈,几乎没有不兼音乐的。仿佛还偏重音乐一点儿。Eskimo 舞蹈的地方,叫作歌场(Quaggi);Mincopie 人的舞蹈节,叫作音乐节。

初民的唱歌,偏重节奏,不用和声。他们的音程也很简单,有用三声的,有用四声的,有用六声的;对于音程,常不免随意出入。Buschmänner 的音乐天才,算是最高;欧人把欧洲的歌教他们,他们很能仿效。Lichtenstein 氏还说,很愿意听他们的单音歌。

他们所以偏重节奏的缘故:一,是因他本用在舞蹈会上;二,是乐器的关系。

初民的乐器,大部分是为拍子设的。最重要的是鼓。唯 Botokuden 人没有这个;其余都是有一种,或有好几种。最早的形式,怕就是澳洲女子在舞蹈会上所用的。是一种绷紧鼓的袋鼠皮,平日还可以披在肩上作外套的;有时候把土卷在里面。至于用兽皮绷在木头上面的作法,是在 Melanesier 见到的。澳北 Queenländer 有一种最早的形式。是一根坚木制成的粗棍,打起来声音很强,这种声杖,恰可以过渡到 Mincopie 人的声盘。声盘是舞蹈会中指挥人用的。是一种盾状的片子,用坚木制成的;长五尺,宽二尺,一面凸起,一面凹下;凹下的一面,用白垩画成花纹。用的时候,凹面向下;把窄的一端嵌入地平,指挥人把一足踏住了;为加增噪音起见,在宽的一端,垫上一块石头。Eskimo 人用一种有柄的扁鼓;他的箍与柄,都是木制,或用狼的腿骨制;他的皮,是用海狗的,或驯鹿的;直径三尺;用长十寸粗一寸的棍子打的。Buschmänner 的鼓,荷兰人叫作 Rommelpott,是用一张皮绷在开口的土瓶或木桶上面,用指头打的。

Eskimo 人、Mincopie 人与一部分的澳洲人,除了鼓,差不多没有别的乐器了。独有澳北 Port Essington 土人有一种箫,用竹管制的,长二三尺,用鼻孔吹他。Botokuden 人没有鼓。有两种吹的乐器:一是箫,用 Taquara 管制的,管底穿几个孔;是妇女吹的。一是角,用大带兽的尾皮制的。

Buschmänner 有用弦的乐器。有几种不是他们自己创造的:一种叫 Guitare,是从非洲黑人得来。一种壶卢琴,从 Hottentotten 得来。壶卢琴是木制的底子,缀上一个壶卢,可以加添反响;有一条弦,又加上一个环,可以申缩他颤声的部分。止有 Gora，可信是 Buschmänner 固有的、最早的弦器，他是弓的变形。他有一弦，在弦端与木槽的中间，有一根切成薄片的羽茎插入。这个羽茎，由奏乐的用唇扣着，凭着呼吸去生出颤动来，如吹洞箫的样子。这种由口气发生的谐声，一定很弱；他那拿这乐器的右手，特将第二指插在耳孔。给自己的声觉强一点儿。他们奏起来，竟可到一点钟的长久。

总之初民的音乐，唱歌比器乐发达一点。两种都不过小调子，又是偏重节奏，那谐声是不注意的。他那音程，一，是比较的简单；二，是高度不能确定。

至于音乐的起原，依达尔文说，是我们祖先在动物时代，借这个刺激的作用，去引诱异性的。凡是雄的动物，当生殖欲发动的时候，鸣声常特别发展；不但用以自娱，且用以求媚于异性。所以音乐上的主动与受动，全是雌雄淘汰的结果。但诱导异性的作用，并非专尚柔媚，也有表示勇敢的。譬如雄鸟的美翅，固是柔媚的；牡狮的长鬣，却是勇敢的。所以音乐上遗传的，也有激昂一派，可以催起战争的兴会。现在行军的没有不奏军乐：据 Buckler 与 Thomas 所记，澳洲土人将要战斗的时候，也是把唱歌与舞蹈激起他们的勇气来。

又如叔本华说各种美术，都有模仿自然的痕迹，独有音乐不是这样；所以音乐是最高尚的美术。但据 Abbé Dubos 的研究，音乐也与他种美术一样，有模仿自然的。照历史上及我们经验上的证明，却不能说音乐是绝对没有模仿性的。

要之音乐的发端，不外乎感情的表出。有快乐的感情，就演出快乐的声调；有悲惨的感情，就演出悲惨的声调。这种快乐或悲惨的声调。又能引起听众同样的感情。还有他种郁愤、恬淡等等感情，都是这样。可以说是人类交通感情的工具。斯宾塞尔说："最初的音乐，是感情激动时候加重的语调"，是最近理的。如初民的音乐，声音的高度，还没有确定，也是与语调相近的一端。

现在综合起来，觉得文明人所有的美术，初民都有一点儿。就是诗歌三体，也已经不是混合的初型，早已分道进行了。止有建筑术，游猎民族的天幕、小舍，完全为避风雨起见，还没有美术的形式。

我们一看他们的美术品，自然觉得同文明人的著作比较，不但范围窄得多，而且程度也浅得多了。但是细细一考较，觉得他们所包含美术的条件，如节奏、均齐、对比、增高、调和等等，与文明人的美术一样。所以把他们的美术与现代美术比较，是数量的差别比种类的差别大一点儿；他们的感情是窄一点儿，粗一点儿；材料是贫乏一点儿；形式是简单一点儿，粗野一点儿；理想的寄托，是幼稚一点儿。但是美术的动机、作用与目的，是完全与别人时代一样。

凡是美术的作为，最初是美术的冲动（这种冲动，是各别的，如音乐的冲动，图画的冲动，往往各不相干；不过文辞上可以用"美术的冲动"的共名罢了）。这种冲动，与游戏的冲动相伴，因为都没有外加的目的。又有几分与模拟自然的冲动相伴，因而美术上都有点模拟的痕迹。这种冲动，不必到什么样的文化程度，才能发生；但是那几种美术的冲动，发展到什么一种程度，却与文化程度有关。因为考察各种游猎民族，他们的美术，竟相类似，例如装饰、图像、舞蹈、诗歌、音乐等，无论最不相关的民族，如澳洲土人与 Eskimo 竟也看不出差别的性质来。所以 Taine 的"民族特性"理论，在初民还没有显著的痕迹。

这种彼此类似的原因，与他们的生活，很有关系。除了音乐以外，各种美术的材料与形式，都受他们游猎生活的影响。看他们的图案，止模拟动物与人形，还没有采及植物，就可以证明了。

Herder 与 Taine 二氏，断定文明人的美术，与气候很有关系。初民美术，未必不受气候的影响，但是从物产上间接来的。在文明人，交通便利，物产上已经不受气候的限制；所以他们美术上所受气候的影响，是精神上直接的。精神上直接的影响，在初民美术上，还没有显著的痕迹。

初民美术的开始，差不多都含有一种实际上目的，例如图案是应用的便利；装饰与舞蹈，是两性的媒介；诗歌、舞蹈与音乐，是激起奋斗精神的作用；犹如家族的徽志，平和会的歌舞，与社会结合，有重要的关系。但各种美术的关系，却不是同等；大约那时候，舞蹈是很重要的。看西洋美术史，希腊的人生观，寄在造像；中古时代的宗教观念，寄在寺院建筑；文艺中兴时代的新思潮，寄在图画；现在人的文化，寄在文学；都有一种偏重的倾向。总之，美术与社会的关系，是无论何等时代，都是显著的了。从柏拉图提出美育主义后，多少教育家都认美术是改造社会的工具。但文明时代分工的结果，不是美术专家，几乎没有兼营美术的余地。那些工匠，日日营机械的工作，一点没有美术的作用参在里面，就觉枯燥的了不得；远不及初民工作的有趣。近如 Morris 痛恨于美术与工艺的隔离，提倡艺术化的劳动，倒是与初民美术的景象，有点相近。这是很可以研究的问题。

美术的进化

（一九二一年二月十五日）

前次讲文化的内容，方面虽多，归宿到教育。教育的方面，虽也很多，他的内容，不外乎科学与美术。科学的重要，差不多人人都注意了。美术一方面，注意的还少。我现在要讲讲美术的进化。

美术有静与动两类：静的美术，如建筑、雕刻、图画等。占空间的位置，是用目视的。动的美术，如歌词、音乐等，有时间的连续，是用耳听的。介乎两者之间是跳舞，他占空间的位置，与图画相类，又有时间的连续，与音乐相类。

跳舞的起源很简单，动物中，如鸽、雀，如猫、狗，高兴时候，都有跳舞的状态。澳洲有一种鸟，且特别用树枝造成一个跳舞厅。到跳舞之进化的时候，我们所知道的非、澳、亚、美等洲的未开化人，都有各种跳舞，他那舞人，必是身上画了花纹，或加上各种装饰，那就是图案与装饰品的起源。跳舞的地方，有在广场的，但也有在草舍或雪屋中间，这就是建筑的起源。又如跳舞会中，必要唱歌，是诗歌与他种文学的起源；跳舞时，常用简单的乐器，指示节拍，这就是音乐的起源。似乎各种美术，都随着跳舞而发生的样子。所以有人说最早的美术就是跳舞，也不为无因。

未开化人的跳舞，本有两种：一种是体操式，排成行列，注重节奏。中国古代的舞，有一部分属于此类，如现在文庙中所演的。欧洲人的跳舞会，也是此类。不过未开化人的跳舞，男女分班。男子跳舞时，女子组成歌队。女子的跳舞会，男子不参加。欧人现在的跳舞会，却是男女同舞的。欧人歌剧中，例有一段跳舞，全由女子组成，也是体操式的发展。

未开化人的跳舞，又有一种，是演剧式，或模拟动物状态，或装演故事，这就是演剧的起源。我们周朝的武舞，一段一段演武王伐殷的样子，这已经近于演剧。后来优孟扮演孙叔敖，就是正式的演剧了。我们正式的演剧，元以后始有文学家的曲本。直到今日，还没有著明的进步。最流行的二黄、梆子等，意浅词鄙，反更不如昆曲了。欧洲现行的戏剧，约有三种：一是歌剧（Opera），全用歌词，以悲剧为多。二是白话剧（Drama），全用白话，亦不参用音乐；兼有悲剧、喜剧。现在中国人叫作新剧的就是这一类。三是小歌剧（Operetta），歌词与白话相间，与我们的曲本相类，多是喜剧。以上三种，都出自文学家手笔。时时有新的著作，有种种的派别。如理想派、写实派、神秘派等。他们的剧场，有专演一种的，也有兼演两种或三种的，但是一日内所演的剧，总是首尾完具，耐人寻味的。别有一种杂耍馆，各幕不相连续，忽而唱歌，忽而谐谈，忽而舞蹈，忽而器乐，忽而禽言，忽而兽戏，忽而幻术，忽而赛拳，纯为娱耳目起见，不含有何种理想。闻英国的戏场，多是此类，不过有少数的专演名家剧本，此亦英人美术观念，与意、法等国不同的缘故。我们的剧场，虽然并不参入幻术、兽戏等等。但是，第一，注意于唱工戏、武戏、小戏等如何排列；第二，注意于唱工戏中，生、旦、净、末的专戏应如何排列。纯从技术上分配平均起见，并无文学上的关系，尚是杂耍馆一类。

最早的装饰，是画在身上。热带的未开化人用不着衣服，就把各种花纹画在身上作装饰。现在妇女的擦脂粉、戏子的打脸谱，是这一类。

进步一点，觉得画的容易脱去，在皮肤上刻了花纹，再用颜色填上去，大约暗色的民族，用浅的瘢痕；黄色或古铜色的民族，用深的雕纹。我们古人叫作"文身"，或叫作"雕题"。至于不用瘢痕，或雕纹的民族，也有在唇上或耳端凿一孔，镶上木片，叫他慢慢儿扩大的。总之，都是矫揉造作的装饰，在文明人的眼光里，只好算是丑状了。但是近时的缠足、束腰、穿耳，也是这一类。

进一步，不在皮肤上用工了，用别种装饰品，加在身上。头上的冠巾，头上的挂件，腰上的带，在未开化人，已经有种种式样。文化渐进，冠服等类，多为卫生起见，已经渐趋简单，但尚有叫作"时式"的，如男子时式衣服，以伦敦人为标准；女子时式衣服，以巴黎人为标准，往往几个月变一个样子，这也是未开化时代的遗俗罢了。

再进一步，不限于身上的装饰，移在身外的器具了。武器如刀、盾

等,用器如舟、橹、锅、瓶等,均有画的或刻的花纹,这就是纯粹的图案画。起初是点线等,后来采用动物的形式,后来又采用植物的形式。

更进一步,不但装饰在个人所用的器具上,更要装饰在大家公共的住所了。穴居时代,已经有壁画,与摩崖的浮雕。到此时期,渐渐的脱卸装饰的性质,产生独立的美术。

器具不但求花纹同色彩的美,更求形式的美。如瓷器及金类玉类等器,均有种种美观的形式。

雕刻的物像,不但附属在建筑上,演为独立的造像。中国墓前有石人、石马,寺观内有泥塑、木雕、玉刻、铜铸的像。虽然有几个著名的雕塑家,如晋的戴颙、元的刘玄,但是无意识的模仿品居多数。西洋自希腊时代,已有著名造像家,流传下来的石像、铜像,都优美得很。自文艺中兴时代,直至今日,常有著名的作家。

图画也不但附在壁上,演为独立的画幅,所画的也不但单纯的物体,演为复杂的历史画、风俗画、山水画等。中国的图画,算是美术中最发达的,但是创造的少,模仿的多。西洋的图画家,时时创立新派,而且画空气,画光影,画远近的距离,画人物的特性,都比我们进步得多。

建筑的美观,起初限于家庭,后来推行到公共建筑,如宗教的寺观,帝王的宫殿。近来偏重在学校、博物院、图书馆、公园等。最广的,就是将一所都市,全用美观的计划,布置起来。

以上都是说静的美术,今要说动的美术,就是诗歌与音乐。

在跳舞会上的歌词,是很简单的。演而为独立的小调,又演而为三派的文学。一是抒情诗。如中国的诗与词,起初专为歌唱,后来渐渐发展,专用发表感想,不过尚有长短音的分配,韵呼应。到近来的新体诗,并长短音与韵也可不拘了。一是戏曲,起初全是歌词,后来参加科白;后来又有一体,完全离音乐而独立,通体用白话了。一是小说,起初是神话与动物谈,后来渐渐切近人事。起初描写的不过通性,后来渐渐的能表示特性,起初全凭讲演,语言与姿态同时发表,后来传抄印刷,完全是记述与描写的文学了。

跳舞会的音乐,是专为拍子而设,或用木棍相击,或用兽皮绷在木头上。由此进步,演为各种的鼓。澳洲土人有一种竹管,用鼻孔吹的。中国古书说音乐起于伶伦取竹制筒,大约吹的乐器,都由竹管演成的。非洲土人,有一种弓形的乐器,后来演成各种弦器。初民的音乐重在节奏,对于音阶的高下,不很注意。近来有种种的曲谱,有各种关于音乐的科学,有教授音乐的专门学校,有超出跳舞会与戏剧而独立的音乐会,真非常的进步了。

观各种美术的进化,总是由简单到复杂,由附属到独立,由个人的进为公共的。我们中国人自己的衣服、宫室、园亭,知道要美观,不注意于都市的美化。知道收藏古物与书画,不肯合力设博物院,这是不合于美术进化公例的。

美学的进化

(一九二一年二月十九日)

我已经讲过美术的进化了,但我们不是稍稍懂得一点美学,决不能知道美术的底蕴,我所以想讲讲美学。今日先讲美学的进化。

我们知道,不论哪种学问,都是先有术后有学,先有零星片段的学理,后有条理整齐的科学。例如上古既有烹饪,便是化学的起点。后来有药方,有炼丹法,化学的事实与理论,也陆续的发布了。直到十八世纪,始成立科学。美学的萌芽,也是很早。中国的《乐记》《考工记》《梓人篇》等,已经有极精的理论。后来如《文心雕龙》,各种诗话,各种评论书画古董的书,都是与美学有关。但没有人能综合各方面的理论,有统系的组织起来,所以至今还没有建设美学。

在欧洲古代,也是这样。希腊的大哲学家,如柏拉图、雅里士多德等,都有关于美学的名言。柏氏所言,多关于美的性质;雅氏更进而详论各种美术的性质。柏氏于美术上提出"模仿自然"的一条例,后来赞成他的很多。到近来觉得最高的美术,尚须修正自然,不能专说模仿了。雅氏对于美术,提出"复杂而统一"一条例,至今尚颠扑不破。譬如我在这个黑板上画一个圆圈,是统一的,但不觉得美,因为太简单。又譬如我左边画几个人,右边画个动物,中间画些山水、房屋、花木等类,是复杂的;但也不觉得美,因为彼此不相连贯,没有统系,就是不统一。所以既要复杂,又要统一,确是美术的公例。

罗马时代的文学家、雄辩家、建筑家,关于他的专门技术,间有著作。到文艺中兴时代,文喜(Leonaldo da Vince)、埃尔倍西(Leone Battiota Alberti)、佘尼尼（Cemimo Cennine）等美术家，尤注意于建筑与图画的理论。那时候科学还不很发达，不能大有成就。十七世纪，法国的诗人，有点新的见解。其中如波埃罗（Borlean-Despeaux）于所著《诗法》中提出"美不外乎真"的主义，很震动一时。用学理来分析美的原素，为美学先驱的，要推十七、十八世纪的英国经验派心理学家。他们知道美的赏鉴，是属于感情与想象力的。美的判断，不专是认识的，而且美的感情，也与别种感情有不同的点。如呵末（Hume）说美的快感是超脱的，与道德的实用的感情不同。又如褒尔克（Burke）研究美感的种类，说美，是一见就生快感的，这是与人类合群的冲动有关。初见便觉不快，仿佛是危险的，这是与人类自存的冲动有关。但后来仍有快感，因知道这是我们观察中的假象。都是美学家最注意的问题。

以上所举的哲学家，虽然有美学的理论，但都附属在哲学的或美术的著作中。不但没有专门美学的书，还没有美学的专名，与中国一样。直到一七五○年，德国鲍格登（Alexander Baumgarten）著《爱斯推替克》（Aesthetica）一书，专论美感。"爱斯推替克"一字，在希腊文本是感觉的意义，经鲍氏著书后，就成美学专名；各国的学者都沿用了。这是美学上第一新纪元。

鲍氏以后，于美学上有重要关系的，是康德（Kant）的著作。康德的哲学，是批评论。他著《纯粹理性批评》，评定人类和知识的性质。又著《实践理性批评》，评定人类意志的性质。前的说现象界的必然性，后的说本体界的自由性。这两种性质怎么能调和呢？依康德见解，人类的感情是有普遍的自由性，有结合纯粹理性与实践理性的作用。由快不快的感情起美不美的判断，所以他又著《判断力批评》一书。书中分究竟论、美论二部。美论上说明美的快感是超脱的，与呵末同。他说官能上适与不适，实用上良与不良，道德上善与不善，都是用一个目的作标准。美感是没有目的，不过主观上认为有合目的性，所以超脱。因为超脱，与个人的利害没有关系，所以普遍。他分析美与高的性质，也比褒尔克进一步。他说高有大与强二种，起初感为不快，因自感小弱的缘故。后来渐渐消去小弱的见，自觉与至大至强为一体，自然转为快感了。他的重要的主张，就是无论美与高，完全属于主观，完全由主观上写象力与认识力的调和，与经验

上的客观无涉。所以必然而且普遍,与数学一样。自康德此书出后,美学遂于哲学中占重要地位;哲学的美学由此成立。

绍述康德的理论,又加以发展的,是文学家希洛(Schiller)。他所主张的有三点:一、美是假象,不是实物,与游戏的冲动一致。二、美是全在形式的。三、美是复杂而又统一的,就是没有目的而有合目的性的形式。

以后盛行的,是理想派哲学家的美学。其中最著名的,如隋林(Schelling)的哲学。谓自然与精神,同出于绝对的本体。本体是平等的,无限的;但我们所生活的现象世界是差别的,有限的。要在现象世界中体认绝对世界,唯有观照。知的观照,属于哲学;美的观照,属于艺术。哲学用真理导人,但被导的终居少数;艺术可以使人人都观照绝对。隋氏的哲学,是抽象一元论。所以他独尊抽象,说具象美不过是抽象美的映象。

后来黑格尔(Hegel)不满意于隋林的抽象观念论,所以设具象观念论。他说美是在感觉上表现的理想,理想从知性方面抽象的认识,是真;若从感觉方面具象的表现,是美。表现的作用愈自由,美的程度愈高。最幼稚的是符号主义,如古代埃及、叙利亚、印度等艺术,是精神受自然压制,心能用一种符号表示不明了的理想。进一步是古典主义,如希腊人对于自然,能维持精神的独立;他们的艺术,是自然与精神的调和。又进一步,是浪漫主义,如中世纪基督教的美术,是完全用精神支配自然。

与黑氏同时有叔本华(Schopenhauer),他是说世界的本体,是盲目的意志。人类在现象世界,因有欲求,所以常感苦痛。要去此苦痛,唯有回向盲目的本体。回向的作用,就是赏鉴艺术,叔氏分艺术为四等:第一是高的,第二是美的,第三是美而有刺激性的,第四是丑的。

理想派的美学,多注重内容;于是有绍述康德偏重形式的一派。创于海伯脱(Herbart),大成于齐末曼(Kimmermann)。齐氏所定的三例:一、简平的对象,不能起美学的快感与不快感。二、复合的对象,有美学的快感与不快感。但从形式上起来。三、形式以外的部分(如材料等)全无关系。

由形式论转为感情论的是克尔们（Kirchmann），他说美是一种想体，就是实体的形象；但这实体必要有感兴的，且取他形象时，必要经理想化，可以起人纯粹的感兴。

把哲学的美学集大成的，是哈脱门（Hartmann）的美的哲学。哈氏说理想的自身，并不就是美；理想的内容表现为感觉上的假象，才是美。这个假象，是完全具象的。若理想的内容，不能完全表现为假象，就减少了美的程度。愈是具象的，就愈美。所以哈氏分美为七等，由抽象进于具象：第一是官能快感，第二是量美，第三是力美，第四是工艺品，第五是生物，第六是族性，第七是个性。

从鲍尔登到哈脱门，都是哲学的美学，都是用演绎法的。哈氏的《美的哲学》，在一八八七年出版。前十七年即一八七一年，费希耐（Gustav Theodor Fechner）发布一本小书，叫作《实验美学》（Zur experimentalen Aesthetik），及一八七六年又发布一书，叫作《美学的预科》（Vorschule der Aesthelik），他是主张用归纳法治美学，建设科学的美学，这是美学上第二新纪元。费氏的归纳法，用三种方法，考验量美：一、选择法：用各种不同的长方形，令人选取最美观的。二、装置法：用硬纸两条，令人排成十字架，看他横条置在纵条那一点。三、用具观察法：把普通人日常应用品物，如信笺、信封、糖匣、烟盒、画幅等，并如建筑上门、窗等，都量度他纵横两面长度的比例，求得最大多数的比例是什么样。前两法的结果，是大多数人所选择或装置的，都与崔新（Adolf Zeising）所发见的截金法相合，就是三与五、五与八、八与十三等比例。但是第三种的结果费氏却没有报告。

费氏以后，从事实验的，如惠铁梅（Witmer），射加尔（Segal）等用量美；伯开（Baker）、马育（Major）等用色彩；摩曼（Meumann）、爱铁林该（Ettlinger）等用声音；孟登堡（Munsterberg）、沛斯（Piorce）等用各种简单线的排列法，都有良好的结果，但都是偏于一方面的。又最新的美学家，如康德派的科恩（Cohn）、黑格尔派的维绥（Vischer），注重感情移入主义的栗丕斯（Th. Lipps）、富开尔（Volkelt），英国证明游戏冲动说的斯宾塞尔（Spencer），法国反对超脱主义的纪约（Guyau）等，所著美学，也多采用科学方法，但是立足点仍在哲学。所以科学的美学，至今还

没完全成立。摩曼于一九〇八年发布《现代美学诸论》，又于一九一四年发布《美学的系统》，虽然都是小册，但对于美学上很有重要的贡献。他说建设科学的美学，要分四方面研究：（一）艺术家的动机，（二）赏鉴家的心理，（三）美术的科学，（四）美的文化。若照此计划进行，科学的美学当然可以成立了。

《美学原理》序

(一九三四年十月十五日)

  爱美是人类性能中固有的要求。一个民族，无论其文化的程度何若，从未有喜丑而厌美的。便是野蛮民族，亦有将红布挂在襟间以为装饰的，虽然他们的审美趣味很低，但即此一点，亦已足证明其有受美之心了。我以为如其能够将这种爱美之心因势而利导之，小之可以怡性悦情，进德养身，大之可以治国平天下。何以见得呢？我们试反躬自省，当读画吟诗，搜奇探幽之际，在心头每每感到一种莫可名言的恬适。即此境界，平日那种是非利害的念头，人我差别的执着，都一概泯灭了，心中只有一片光明，一片天机。这样我们还不怡性悦情吗？心旷则神怡，心广则体胖，我们还不能养身吗？人我之别、利害之念既已泯灭，我们还不能进德吗？人人如此，家家如此，还不能治国平天下吗？我向年曾主张以美育代宗教，亦就因为美育有宗教之利、而无宗教之弊的缘故，至今我还是如此主张。在民初时，我曾提出《对于教育方针的意见》，以美育与军国民主义、实利主义、德育主义及世界观并列。我以为能照此作去，至少可以少闹许多乱子。

  但是，审美观念是随着修养而进步的，修养愈深，审美程度愈高；而修养便不得不借助于美学的研究了。通常研究美学的，其对象不外乎"艺术""美感"与"美"三种。以艺术为研究对象的，大多着重在"何者为美"的问题；以美感为研究对象的，大多致力于"何以感美"的问题；以美为研究对象的，却就"美是什么"这问题来加以探讨。我以为"何者为美""何以感美"这种问题虽然重要，但不是根本问题；根本问题还在"美是什么"。单就艺术或美感方面来讨论，自亦很好；但根本问题的解

决，我以为尤其重要。

同学金君公亮，于文学、心理学都研究有素，对于美学致力尤勤。近年本罗绥所著《美》一书而酌量增损，编为《美学原理》，对于美学上的根本问题，都予以相当的答案，可以作研究美学者的一助，书中每章作成提要，尤便初学。金君在国立艺术专校讲学有年，本书即当时讲稿的一部分。承金君以本书油印本见示，并属作序；我因就一时所想到的，拉杂写寄金君，以介绍于国人。